Cornelia Funke

Hände weg von *Mississippi*

Mit Illustrationen der Autorin

Cecilie Dressler Verlag · Hamburg

Von Cornelia Funke sind im Dressler Verlag außerdem erschienen:
Als der Weihnachtsmann vom Himmel fiel
Drachenreiter
Greta und Eule, Hundesitter
Igraine Ohnefurcht
Potilla und der Mützendieb
Die Wilden Hühner
Die Wilden Hühner auf Klassenfahrt
Die Wilden Hühner – Fuchsalarm
Zwei wilde kleine Hexen

© Cecilie Dressler Verlag, Hamburg 1997
Alle Rechte vorbehalten
Einband und Illustrationen von Cornelia Funke
Bearbeitung: Catrin Frischer
Satz: Clausen & Bosse, Leck
Druck und Bindung: Ebner Ulm
Printed in Germany 2000
ISBN 3-7915-0453-3

Für Tina, Lena und Inga

Als Emma aus dem Bus stieg, schloss sie erst mal die Augen
und holte tief Luft.

Ja. So musste es riechen. Nach Mist, Benzin und feuchter
Erde.

Nach Sommerferien bei Dolly.

Emma schwang sich ihren Rucksack auf den Rücken und
hüpfte über die Straße. Sie spuckte in den Dorfteich, sprang
in zwei Pfützen und stand vor dem Gartentor ihrer
Großmutter. Alles war wie immer.

Von dem alten Haus blätterte die Farbe ab und in Dollys
Blumenkästen wuchsen keine Geranien, sondern Salat-
köpfe. Das Auto hatte eine Beule mehr und die schwarze
Katze auf dem Mülleimer kannte Emma noch nicht. Aber
der wackelige Gartentisch unterm Walnussbaum war wie
immer zu ihrem Empfang gedeckt. Im Gras staksten Hühner
herum und Tom und Jerry, Dollys alte Hunde, lagen schlafend vor der offenen Haustür. Sie hoben nicht mal die
Schnauzen, als Emma das Tor aufstieß und aufs Haus zulief.

Erst als sie direkt vor ihnen stand, wedelten sie verschlafen mit dem Schwanz und legten ihr die schlammigen Pfoten auf die Schuhe.

»Na, ihr Superwachhunde.« Emma kraulte den beiden die Ohren und gab ihnen ein paar Hundebrekkies. Mit den Dingern stopfte sie sich immer die Taschen voll, wenn sie zu ihrer Großmutter fuhr.

Aus dem Haus roch es angebrannt.

Emma grinste. Dolly hatte wohl wieder versucht zu backen. Wahrscheinlich war sie die einzige Großmutter auf der Welt, die keinen Kuchen zu Stande bekam. Kochen konnte sie auch nicht besonders gut. Sie tat nichts von dem, was die Großmütter von Emmas Freundinnen gern machten. Dolly häkelte nicht, sie strickte nicht, las keine Geschichten vor und Emmas Geburtstag vergaß sie jedes Jahr. Ihre grauen Haare waren kurz wie Streichhölzer, sie trug meistens Männersachen und ihr Auto reparierte sie selber.

Emma hätte sie gegen keine andere Großmutter eingetauscht. »Hallo!«, rief sie in die verqualmte Küche hinein. »Ich bin wieder da.«

Ein riesiger Hund schoss bellend unterm Küchentisch hervor, sprang an Emma hoch und leckte ihr das Gesicht.

»Hallo, Süße.« Dolly hockte vorm Backofen und sah ziemlich unglücklich aus. Sie holte ihren Kuchen heraus und knallte ihn auf den Küchentisch. »Nun guck dir das an.

Wieder zu braun. Ich versteh das nicht. Dabei hab ich mir sogar so eine dusselige Backuhr besorgt.«

Der Riesenhund ließ Emma in Ruhe und beschnupperte den verbrannten Kuchen.

»Ein Glück, dass ich vorsichtshalber noch ein bisschen Kuchen gekauft habe.« Dolly wischte sich die mehlverschmierten Hände an der Hose ab und gab Emma einen Kuss. »Schön, dass du wieder da bist. Ich hoffe, du hast mich vermisst!«

»Hab ich.« Emma nahm ihren Rucksack ab und hielt dem fremden Hund ein paar Brekkies vor die Schnauze. »Wo kommt der denn schon wieder her?«

»Zottel?« Dolly holte ein großes Kuchenpaket aus dem Schrank und zog Emma mit sich nach draußen. »Den hat Knapps, unser Tierarzt, draußen an der Autobahnauffahrt gefunden. Du weißt ja, so einer landet immer bei mir.«

Emma lächelte.

Und ob sie das wusste! Hühner, die keine Eier legten, Katzen, die trächtig waren, Hunde, die Teppiche zerbissen – ihre Großmutter nahm sie alle auf. Sogar einen alten Wallach hatte sie hinten auf der Koppel stehen. Aldo hieß er. Dolly hatte ihn vor vier Jahren vorm Pferdeschlächter bewahrt und Emma auf seinem Rücken das Reiten beigebracht. »Wie geht's Aldo?«, fragte Emma.

Dolly setzte sich auf die Gartenbank, die Emmas Opa vor

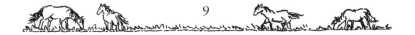

vielen Jahren gebaut hatte, und goss ihr einen Becher Kakao ein. »Aldo? Dem geht's gut. Er hat ein bisschen Ärger mit den Zähnen, aber die Haare frisst er mir trotzdem vom Kopf.«

»Und sonst?« Emma nahm sich ein Stück Kuchen. Ein Huhn verschwand unterm Tisch und zupfte an ihrem Schuhband.

»Na ja, du hörst es ja.«

In Proskes Autowerkstatt nebenan soff ein Motor ab und Dollys Nachbarin zur Linken, Elsbeth Dockenfuß, fegte mit Radiobegleitung den Weg vor ihrer Gartenmauer.

»He, Elsbeth!«, rief Dolly. »Kannst du dein Radio mal etwas leiser drehen? Mein Kaffee schwappt schon aus der Tasse von dem Lärm.«

Elsbeth schlurfte murrend zur Mauer, drehte das Radio ab und kam auf Dollys Zaun zu.

»Da!« Sie warf eine leere Zigarettenschachtel und zwei Eisstiele hinüber. »Das hab ich vor deinem Zaun gefunden.«

»Oh, das kannst du gern behalten«, sagte Dolly. »Willst du einen Kaffee, Elsbeth?«

»Nein danke.« Elsbeth Dockenfuß nickte Emma zu. »Hallo, Emma, ich dachte, du wärst nach Hause gefahren?«

»War ich auch«, Emma verkniff sich ein Kichern. »Ist aber schon drei Monate her, Frau Dockenfuß. Jetzt hab ich Sommerferien.«

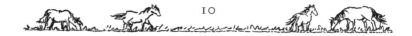

»Ah, ja?« Elsbeth Dockenfuß bückte sich und rupfte ein paar Pflänzchen aus, die vor Dollys Zaun wuchsen. »Löwenzahn. Pfui Teufel. Ja, dann esst ihr mal Kuchen, ich hab zu tun.«

Mit mürrischem Gesicht nahm sie wieder ihren Besen, drehte ihr Radio laut und fegte weiter.

Dolly seufzte. Aber Emma musste grinsen. »Es ist alles wie immer«, sagte sie. »Das ist wunderbar.«

Zu Hause änderte sich gerade mal wieder alles. Während Emma bei Dolly war, richteten ihre Eltern die neue Wohnung ein. Neue Wohnung, neue Stadt, neue Schule. Emma durfte gar nicht dran denken.

»Alles wie immer?« Dolly schüttelte den Kopf. »Nicht ganz, Süße. Der alte Klipperbusch ist letzte Woche gestorben.«

»Oh!« Erschrocken guckte Emma ihre Großmutter an. »Der war doch noch gar nicht so alt.«

Dolly schüttelte den Kopf. »Nicht viel älter als ich. Aber«, sie zeigte zum Tor, »das wirst du bestimmt gleich alles ganz genau erfahren. Guck mal, wer da kommt. Hat sich schnell rumgesprochen, dass du da bist.«

Zwei Jungen liefen um den Dorfteich, Leo und Max, die Söhne vom Bäcker gegenüber. Um die Wette rannten sie auf Dollys Tor zu. Max schwang sich als Erster rüber – wie immer. Er streckte seinem Bruder die Zunge raus und spurtete zu dem freien Stuhl neben Emma. Leo kam zerknirscht hin-

terher. »Du hast mich geschubst«, fuhr er seinen Bruder
an. »Bloß um vor Emma anzugeben.«
»He, ihr beiden!« Dolly hob ihre Tasse hoch. »Jetzt habt ihr
mit eurem Gerempel fast meinen Kaffee verschüttet. Wollt
ihr auch was trinken? Oder ein Stück Kuchen essen?«
»Hast du den gebacken?«, fragte Max mißtrauisch.
»Was soll das denn heißen?«
»Na, wenn nicht, dann gerne.«
»Frechheit«, sagte Dolly und stand auf. »Aber ich hol euch
trotzdem was zu trinken.«
Gefolgt von Zottel verschwand sie im Haus.
»Na, Emma«, murmelte Leo.
»Weißt du, was passiert ist?« Max schob seinen Bruder zur
Seite. »Der alte Klipperbusch ist vor unserem Laden tot um-
gefallen. Einfach so. Bums, da lag er. Du erinnerst dich doch
an Klipperbusch, oder?«
Emma nickte. Sie erinnerte sich sehr gut. Jeden Sonntag war
er durchs Dorf geritten, auf seiner Stute Mississippi. Er
hatte ihr bunte Bänder in die Mähne geflochten, mit kleinen Glöckchen dran. Klipperbusch selbst trug immer einen
Cowboyhut auf dem Kopf, und jedesmal wenn er bei Dolly
vorbeiritt, hatte er ihn gezogen und ihr damit zugewinkt.
»Tot wie 'ne Henne ohne Kopf war er«, sagte Max.
Leo nahm sich ein Stück Kuchen, setzte sich auf Dollys Platz
und trank einen Schluck von ihrem Milchkaffee.

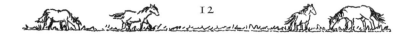

»Habt ihr, ich mein«, Emma guckte die beiden unbehaglich an. »Habt ihr ihn gesehen?«

»Klar«, sagte Max. »Ich schon. Der hier«, er stieß seinen Bruder an, »der ist gleich hinterm Haus verschwunden und hat gekotzt.«

»Hab ich gar nicht«, sagte Leo.

»Hast du wohl«, Max rempelte seinen Bruder fast vom Stuhl. »Ich wollte Klipperbusch 'n Spiegel vor den Mund halten, wie die das im Film immer machen, aber Mama hat mich nicht gelassen. Sein Pferd hat sich furchtbar aufgeregt. Als ob es wusste, was los war. Nur Doktor Knapps konnte es beruhigen.«

Emma kannte Doktor Knapps auch. Er war Dauergast bei Dolly. Irgendeinem von ihren Tieren fehlte immer was.

»Na?« Dolly kam mit einer Flasche Saft zurück. »Haben die zwei dir alles von Klipperbuschs Ableben erzählt?«

Leo rutschte zur Seite.

»Na und?«, brummte Max. »Passiert ja nicht jeden Tag, dass einer tot umfällt, oder?«

»Zum Glück«, sagte Dolly. »Ich werde Klipperbusch vermissen. Aber er hat einen schönen Tod gehabt.«

»Papa sagt, er war verrückt«, meinte Max.

»Ach was!« Dolly nahm ihre Untertasse und legte ihm ein Stück Kuchen drauf. »Dein Vater hält die Hälfte des Dorfes für verrückt. Mich bestimmt auch.«

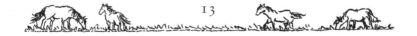

»Was ist mit seiner Stute passiert?«, fragte Emma.

Die Jungs zuckten die Achseln.

»Also, die ist auf jeden Fall verrückt«, stellte Max mit vollem Mund fest.

Dolly strich nachdenklich die Tischdecke glatt. »Im Moment kümmert sich Knapps drum. Aber Klipperbuschs Neffe wird wohl alles erben und der verkauft die Stute bestimmt.«

»Schade«, murmelte Emma.

Klipperbusch hatte Mississippi vor jedem Ausritt auf etwas andere Weise schöngemacht. Sie und Dolly hatten manchmal gewettet, ob die Stute Blumen hinterm Ohr haben würde oder an den Zügeln kleine Glöckchen. Jeden Sonntag hatten sie gespannt unterm Walnussbaum gesessen und gewartet.

Wenn Klipperbusch dann kam, schwenkte er seinen Hut und rief: »Schönen guten Morgen, die Damen.«

Ja, Emma würde ihn auch vermissen.

Ganz bestimmt.

Als Emmas Wecker am nächsten Morgen um sechs klingelte, war Dolly schon weg. Fünf Tage in der Woche fuhr sie morgens mit dem Fahrrad die Zeitung aus, in ihrem Ort und in zwei benachbarten Dörfern.

Emma spritzte sich kaltes Wasser ins Gesicht, aß im Stehen ein Marmeladenbrot – und ging an die Arbeit.

Sieben Katzen strichen ihr um die Beine und die Hunde rumorten ungeduldig mit ihren Näpfen auf den Steinfliesen herum. Wenn Dolly allein war, fütterte sie die ganze Bande schon, bevor sie Zeitungen austrug.

»Tja, Pech«, sagte Emma, während sie in der Besteckschublade nach dem Dosenöffner suchte, »die nächsten sechs Wochen kriegt ihr erst was, wenn ich aus dem Bett falle.«

Als sie alle Katzenfutterdosen geöffnet hatte, taten ihr die Finger so weh, als hätte jemand darauf rumgekaut. Zum Glück fraßen die Hunde Trockenfutter.

Nun kam das Federvieh dran, drei Wellensittiche im Wohnzimmer und die Hühner, sie brauchten frisches Wasser und

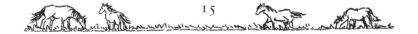

jede Menge Körner. Dann fütterte Emma die zwei alten Ziegen. Und zum Schluss versorgte sie Aldo. Das Schönste hob sie sich bis zuletzt auf.

Jeden Morgen freute sie sich darauf, dass Aldo sie mit seiner Schnauze anstupste und ihre Jackentaschen nach Möhren durchsuchte. Dann träumte Emma davon, dass Aldo ihr Pferd wäre. Ein verrückter Traum! Die neue Wohnung, die ihre Eltern gerade einrichteten, lag wieder im vierten Stock, weil Emmas Mutter so hoch oben weniger Angst vor Einbrechern hatte. Nicht mal ein Meerschweinchen würde Emma sich da halten dürfen. Ja, es war wirklich albern, von einem eigenen Pferd zu träumen. Aber trotzdem erwischte Emma sich immer wieder dabei. Vor allem, wenn sie Aldos weiche Nase streichelte.

Bei jedem Besuch fragte Emma sich, ob der alte Wallach sie vergessen hatte. Sie verbrachte zwar so viel Zeit wie möglich bei Dolly, aber trotzdem lagen jedes Mal viele Wochen zwischen den Ferien.

»Na, Aldo«, sagte sie, als sie in den Pferdestall ging. »Hast du schon Hunger?«

Der Wallach hob den Kopf und schnaubte. Emma streichelte ihm zärtlich die Nase und blies ihm ganz sacht in die Nüstern. So begrüßten sich auch Pferde, das hatte sie mal in einem Pferdebuch gelesen. Emma las viele Pferdebücher. Viel zu viele, fand ihre Mutter.

Aldo schnaubte zurück. So heftig, dass Emma kichernd nach Luft schnappte. Ganz schwindlig wurde ihr von dem Pferdeatem. Sie füllte Aldos Futterkrippe und holte ihm frisches Wasser. Dolly impfte ihr immer wieder ein, dass das wichtiger als alles andere war. Pferde mochten kein abgestandenes oder schmutziges Wasser. Da tranken sie lieber gar nichts, und das konnte sehr gefährlich werden, weil sie davon Koliken bekamen. Als Aldo gefressen und getrunken hatte, brachte Emma den Wallach auf die Koppel. Die Ziegen hatte sie schon draußen angepflockt. Wenn die zwei nicht angebunden waren, sprangen sie über jeden Zaun. Sie waren zwar nicht gerade die beste Gesellschaft für ein Pferd, aber besser als gar keine.

»Pferde werden komisch, wenn sie viel allein sind«, sagte Dolly immer. »Genau wie Menschen.«

Als Emma auch noch im Pferdestall gefegt und die Eier aus den Hühnernestern geholt hatte, war sie so müde, dass sie sich am liebsten gleich wieder ins Bett gelegt hätte.

So war das immer am ersten Tag bei Dolly.

Aber Emma legte sich natürlich nicht hin. Sie ging gähnend in die Küche und machte Frühstück. Dabei fiel ihr ein, dass sie wieder mal die Fische vergessen hatte. Die vergaß sie meistens, weil sie Fische nicht besonders mochte. Dolly mochte sie auch nicht, aber sie sagte immer, dass die Fische dafür ja nichts konnten, und da hatte sie natürlich Recht.

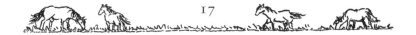

Als Dolly zurückkam, lag Emma schlafend auf dem Küchensofa. Aber das Frühstück war fertig – weich gekochte Eier, eine Thermoskanne voll starkem Kaffee und frische Brötchen. Die hatte Emma beim Vater von Leo und Max gekauft, drüben hinterm Dorfteich.

Dolly brauchte ziemlich lange, um sie wach zu kitzeln. »Na?«, sagte sie. »Landluft macht müde, was?«

»Furchtbar!«, murmelte Emma und setzte sich verschlafen auf. »Wie du bloß um diese Zeit schon so munter sein kannst.«

»Ach, weißt du«, Dolly seufzte, als sie sich an den Küchentisch setzte, »das frühe Aufstehen macht mir nichts aus. In meinem Alter schläft man sowieso weniger, aber dieses Fahrradfahren ... scheußlich. Neuerdings muss ich in drei Nachbardörfer. Manchmal bin ich schwer in Versuchung, das Auto zu nehmen.«

»Soll ich für dich die Zeitungen ausfahren?«, fragte Emma. »Macht mir überhaupt nichts.«

»Nein, lass mal«, Dolly lachte. »Dann komm ich, wenn du wieder weg bist, gar nicht mehr aufs Rad.«

»Kannst du es dann nicht einfach lassen?«, fragte Emma. »Du hast doch deine Rente und ein bisschen was Geerbtes von Opa.«

»Tja, weißt du«, Dolly trank einen Schluck Kaffee, »Aldo wird nicht jünger, die Hunde müssen gegen Tollwut geimpft werden und irgendeine von den Katzen kriegt immer Junge. Das ergibt eine Menge Tierarztrechnungen. Da kann ich jede Mark gebrauchen.«

Emma nickte.

In dem Moment klopfte es an der Haustür.

Tom und Jerry blieben liegen, aber Zottel schoss so wild unterm Tisch hervor, dass Emma sich den Kakao über die Jeans goss.

Bevor Dolly an der Tür war, hatte Zottel die Klinke schon runtergedrückt.

»Geh zur Seite, du Verrückter«, sagte Dolly und schob sich mühsam an dem schwanzwedelnden Riesen vorbei.

Vor der Tür stand Aaron Knapps, der Tierarzt.

Als Zottel ihn sah, verschwand er schnell wieder unterm Tisch.

»Na, sieh mal an, wenn man vom Teufel spricht«, sagte Dolly. »Was machst du denn hier? Hab ich dich angerufen?«

»Nein!«, sagte der Doktor. »Verflixt, Dolly, ich bin so wütend, dass ich platzen könnte.«

Knapps musste den Kopf einziehen, um sich nicht an Dollys Haustür zu stoßen. Ärgerlich stapfte er an ihr vorbei in die Küche. Als er Emma sah, brachte er ein kleines Lächeln zuwege. »Oh, hallo, Emma, auch wieder im Lande?«

»Du meine Güte!« Dolly schob ihm einen Stuhl hin. »Du hast ja einen knallroten Kopf. Was ist denn passiert?«

Doktor Knapps stellte die Arzttasche ab und versuchte seine ellenlangen Beine unterm Tisch unterzubringen. Aber da war einfach kein Platz zwischen all den Hundeschnauzen.

»Möchten Sie vielleicht Kaffee?«, fragte Emma.

»Was? Ja, gern.« Der Tierarzt nahm seine Brille ab und putzte sie.

»Also, schieß los!« Dolly scheuchte eine Katze von ihrem Stuhl und setzte sich. »Wer hat dich so geärgert?«

Knapps strich sich über das zerzauste Haar. »Du weißt doch, dass ich jeden Morgen zu Klipperbuschs Hof rausfahr«, erzählte der Doktor, »weil ich Klipperbuschs Stute, die mutterseelenallein in ihrem Stall steht, versorge. Ich warte seit Tagen darauf, dass sein Neffe sich endlich auf dem Hof blicken lässt und entscheidet, was aus dem Tier werden soll. Einen anderen Erben gibt es ja wohl nicht, wenn er der einzige lebende Verwandte ist.«

»Würde ich auch so sehen«, sagte Dolly. »Klipperbusch mochte ihn zwar nicht besonders, aber er ist der Sohn seiner Lieblingsschwester.«

»Ein Mistkerl ist er!«, rief der Doktor. »Weißt du, was der Kerl heute Morgen zu mir sagt, als ich ihn endlich auf dem Hof treffe?« Knapps haute mit der flachen Hand so fest auf den Tisch, dass Emmas Kakao überschwappte. »Dass er schon den Pferdeschlachter angerufen hat! Jetzt kommst du!«

Dolly schüttelte den Kopf. »Hört sich ganz nach Klipperbuschs Neffen an«, sagte sie. »Hab ihn ein paarmal bei Klipperbusch getroffen. Das hat mir gereicht. Albert heißt er, oder?«

Der Doktor nickte. »Albert Gansmann. Weißt du was?« Er beugte sich über den Tisch. »Als ich dem Kerl erklär, dass das Tier kerngesund ist, dass es gut und gern noch zehn Jahre leben kann und dass er es doch irgendwo in Pflege geben soll, wenn er sich nicht selbst drum kümmern kann, da grinst er mir ins Gesicht und sagt: ›Der Pferdeschlachter zahlt mir dreihundert Mark und alles andere kostet mein Geld.‹ Das war seine ganze Antwort!«

»Trink deinen Kaffee«, sagte Dolly. »Das beruhigt. Warum versucht er nicht die Stute zu verkaufen, wenn er so hinter dem Geld her ist? So alt ist sie doch noch gar nicht.«

»Alt nicht, aber du weißt ja, wie sie aussieht!« Doktor Knapps nahm einen Schluck von Emmas Kaffee und schüttelte sich. »Donnerwetter, ist der stark!«

»Ja, Emma kocht einen prächtigen Kaffee«, sagte Dolly. »Da steht der Löffel drin.«

»Mississippi …« Der Doktor trank noch einen Schluck. Ganz vorsichtig. »Mississippi war für Klipperbusch vielleicht eine Schönheit. Aber sie ist nun mal gestreift wie ein Zebra, seit sie damals in den Stacheldraht geraten ist. Außerdem hat sie schlechte Zähne, weil Klipperbusch sie immer mit Schokolade gefüttert hat. Niemand kauft so ein Pferd. Das weiß sogar dieser Gansmann. Nein, er wird Mississippi zum Schlachter geben.«

»Das geht doch nicht!«, rief Emma. »Dagegen muss man doch irgendwas machen können.«

Dolly seufzte. »Ich wüsste nicht, was, Schätzchen.«

Doktor Knapps guckte Dolly über den Tassenrand an. »Kannst du nicht mal mit ihm reden?«

»Ach, deshalb bist du hier«, sagte Dolly.

»Ach, bitte, Dolly!« Doktor Knapps setzte sein nettestes Lächeln auf. »Geh zu Klipperbuschs Neffen und biete ihm an, Mississippi kostenlos in Pflege zu nehmen. Heute noch. Der Schweinehund ...«, er guckte verlegen zu Emma hinüber, »entschuldige, Emma, ähm, dieser Mensch hat es eilig, in die Stadt zurückzukommen. Schwatz ihm das Pferd ab. So was kannst du doch meisterhaft.«

»Ich weiß nicht.« Dolly schnitt sich noch ein Brötchen auf und beschmierte es dick mit Kirschmarmelade. »Noch einen Hund oder eine Katze, du weißt, so was kannst du immer hier anbringen. Aber noch ein Pferd? Nein, tut mir leid, Knapps«, sie winkte ab, »Aldo frisst mir schon die Haare vom Kopf, von den Tierarztrechnungen ganz zu schweigen.«

»Aber die Kosten würde ich übernehmen!«, rief der Doktor. »Ich würde dir alles bezahlen. Und meine ärztlichen Dienste wären natürlich auch umsonst.« Gekränkt guckte er Dolly an. »Es wäre ja wohl nicht das erste Mal, dass ich mich mit ein paar Hühnereiern zufrieden gebe, oder?«

Dolly sagte gar nichts. Sie saß nur da und zeichnete mit ihrem Messer unsichtbare Muster auf den Tisch.

»Ach, bitte, Großmutter!«, sagte Emma. »Aldo würde sich bestimmt freuen.«

»Jetzt mischst du dich auch noch ein!«, murmelte Dolly.

»Großmutter! Wenn sie das sagt, ist sowieso alles zu spät.« Sie stöhnte. »Ich wette, die Stute frisst nur Kaviar, weil Klipperbusch sie so verwöhnt hat. Aber das soll ja nicht meine Sorge sein. Das geht dann alles auf deine Kosten, Knapps.«

»Ehrenwort!« Der Doktor strahlte von einem Ohr zum andern. »Ich wusste, dass du mir hilfst.«

»Ach ja? Du kannst froh sein, dass Emma dir beigestanden hat. Und dass ich eine Schwäche für Tiere habe, die keiner will. Gut. Wann sollen wir sie abholen?«

Knapps sprang auf. So schnell, dass er sich die Knie unterm Tisch stieß. »Gleich! Ich fahr euch hin.«

»Ja, ja!« Dolly schüttelte den Kopf. »Guck ihn dir an, Emma. Der ist genauso verrückt wie ich. Würde sogar noch versuchen eine dreibeinige Kuh vorm Schlachter zu retten.«

»Ach was!« Der Tierarzt nahm seine Tasche und rückte verlegen die Brille zurecht. »Schließlich haben Klipperbusch und ich jeden Dienstag miteinander Karten gespielt und ich weiß, wie er an Mississippi gehangen hat. Ich schulde es ihm. Außerdem gehört kein Pferd in die Wurst.«

»Das würde ein Schwein auch von sich behaupten«, sagte Dolly. Mit einem Seufzer stand sie auf. »Also gut, ihr beiden. Fahren wir los. Bevor ich es mir doch noch anders überlege. Achtung, zieh deinen Kopf ein, Knapps!«

Aber da war der Doktor schon gegen den Türrahmen gerannt.

Der alte Klipperbusch war nicht gerade der Ärmste im Dorf
gewesen. Sein Haus war das größte im weiten Umkreis und
auf dem Land, das dazugehörte, hätte man alle fünfund-
dreißig Häuser des Dorfes unterbringen können. Trotzdem,
bei seinem Tod stand nur ein einziges Tier in den Ställen –
Mississippi.

»Warum hatte er eigentlich bloß ein Pferd?«, fragte Emma,
während sie zu Klipperbuschs Hof fuhren.

»Alle anderen hat er überlebt«, sagte der Doktor. »Oder
verkauft.«

»Verkauft? Wieso?« Emma schob Jerrys Schnauze aus ihrer
Jackentasche. Er und Tom waren nicht davon abzubringen
gewesen mitzufahren. Also saß Emma auf dem Rücksitz mit
zwei Hundeschnauzen auf dem Schoß.

»Weil er wieder mal auswandern wollte«, antwortete der
Doktor. »Nach Amerika. Das war Klipperbuschs großer
Traum. Alle sieben, acht Jahre hat er seine Tiere verkauft,
zwei Riesenkoffer gepackt, sich überall verabschiedet – und

ist dann doch geblieben. Zwei Wochen vor seinem Tod ging es wieder los. Hühner, Kühe, Pferde, sogar ein paar Möbel hat er verkauft. Nur von Mississippi konnte er sich nicht trennen. Keiner war ihm gut genug für die Stute. Seine Koffer standen schon gepackt neben dem Bett. Aber Mississippi war immer noch da. Tja, und dann ist Klipperbusch einfach tot umgefallen.« Der Doktor hielt am Straßenrand an. »So, hier setz ich euch ab. Ist besser, dass der Kerl mein Auto nicht sieht. Wir haben uns ziemlich angeschrien heute Morgen.«

»Ach!« Dolly sah ihn kopfschüttelnd an. »Davon hast du uns gar nichts erzählt.«

»War mir peinlich!«, brummte der Doktor. »Aber der Kerl hat mich einfach auf die Palme gebracht. Ich wünsch dir auf jeden Fall mehr Glück!«

»Wird schon schief gehen«, sagte Dolly. Als sie aus dem Auto stieg, wollten Tom und Jerry gleich hinterherspringen, aber Dolly knallte ihnen die Tür vor den Schnauzen zu.

»Knapps«, sagte sie. »Die Hunde lassen wir bei dir. Eine verwöhnte Stute und zwei verrückte Hunde sind zu viel für meine Nerven. Außerdem mögen die beiden viel lieber Autofahren als hinter uns die Straße entlangtrotten. Bring sie einfach irgendwann wieder vorbei, ja?«

»Wenn's sein muss.« Der Doktor lehnte sich aus dem Fenster. »Dolly«, flüsterte er. »Bleib freundlich, auch wenn er sich noch so schlecht benimmt. Der bringt es sonst fertig und gibt Mississippi zum Schlachter um dich zu ärgern.«

»Ja, ja!« Dolly grinste. »Mich bringt so leicht keiner aus der Ruhe.«

»Noch was!« Der Doktor winkte sie noch näher zu sich. »Hier sind dreihundert Mark. Wenn deine Überredungskunst nicht hilft, gib sie ihm.«

»Weißt du was, Knapps?« Dolly steckte das Geld in ihr Portemonnaie. »Ich bin wirklich mal gespannt, wer von uns beiden sich als erster mit seiner Tierliebe ruiniert. Los, mach, dass du wegkommst. Jetzt sind Emma und ich dran.«

Emma fand Klipperbuschs Haus unheimlich. Grau und abweisend stand es am Ende eines gepflasterten Hofes, umgeben von leeren Stallungen und einer hohen Weißdornhecke. Ein großes Eisentor war der einzige Zugang zur Straße.

»Das würde ich nicht geschenkt nehmen«, murmelte Emma, als Dolly das Tor aufstieß.

»Klipperbusch mochte es auch nicht besonders«, sagte Dolly. »Aber es gehört schon seit Urzeiten seiner Familie, also hat er es nie verkauft. Daran hat er nicht mal gedacht, wenn er seinen Auswanderfimmel bekam.«

Schweigend überquerten sie den leeren Hof. Nur ein großes, nagelneues Auto stand vor den Stallungen.

»Gehört das dem Neffen?«, flüsterte Emma.

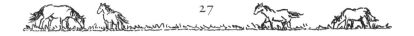

27

»Wieso flüsterst du denn?«, fragte Dolly. »Hast du Angst, der Geist vom alten Klipperbusch hört dich? Der ist bestimmt längst in Amerika.« Sie ging auf den Wagen zu und guckte durch die Scheiben. »Also, Klipperbusch gehört der nicht. Ein bisschen protzig für meinen Geschmack.«

Emma guckte sich unbehaglich um.

Die große Eingangstür des Hauses stand einen Spalt offen.

»Komm«, sagte Dolly und zog sie darauf zu. »Drinnen ist es nicht ganz so schlimm.«

Aber Emma fand das Haus drinnen genauso düster.

»Puh«, sagte sie. »Wenn ich in so 'nem Haus wohnen müsste, würde ich auch auswandern.«

Klipperbuschs Neffen fanden sie oben im Schlafzimmer. Es war das einzige Zimmer, in dem keine klobigen alten Möbel standen. An den Wänden hingen zwei Poster – eins vom Grand Canyon und eins von einem Mississippidampfer. Neben dem Bett standen zwei gepackte Koffer.

Als Dolly an die offene Tür klopfte, untersuchte Albert Gansmann gerade die Matratze seines verstorbenen Onkels.

»Das können Sie sich sparen«, sagte Dolly, »Ihr Onkel hat sein Geld immer auf die Bank gebracht.«

Klipperbuschs Neffe drehte sich um.

»Was wollen Sie denn hier?«, fuhr er Dolly an.

Dolly setzte ihr freundlichstes Lächeln auf. »Wir kommen

wegen Mississippi, der Stute Ihres verstorbenen Onkels, Herr Gansmann. Ich bin Dolores Blumentritt. Vielleicht erinnern Sie sich an mich. Wir haben uns ein paarmal hier im Haus Ihres Onkels getroffen. Mir gehört der Hof am Dorfteich. Als Kind sind Sie da manchmal rumgestromert.«

»Ach ja. Ja! Die Tierfreundin des Dorfes.« Albert Gansmann lachte. Sehr nett klang das nicht. »Ich erinnere mich. Dackel-Dolly haben wir Sie immer genannt, meine Freunde und ich.«

»Oh, ich erinnere mich noch an ein paar weniger nette Namen«, sagte Dolly. Emma sah sie an. Dolly lächelte, aber ihre Augen lächelten nicht mit. »Ich habe gehört, Sie wollen die Stute Ihres Onkels loswerden«, fuhr sie fort. »Stimmt das?«

Albert Gansmann nickte. »Ja. Ich habe den Pferdeschlachter schon bestellt. Verkaufen kann man sie ja nicht, so wie sie aussieht.«

»Eben«, sagte Dolly. »Deshalb bin ich hier. Ich würde die Stute gern zu mir nehmen. Sie wären sie auf der Stelle los, ohne dass es Sie einen Pfennig kostet, und dem Pferd würde es bei mir gut gehen.«

Albert Gansmann runzelte die Stirn. »Das ist mir, ehrlich gesagt, egal. Wenn Sie den Gaul haben wollen, geben Sie mir mehr, als der Schlachter bezahlt. Ganz einfach.«

»Ach ja?« Dolly guckte immer noch, als würde sie ihr Ge-

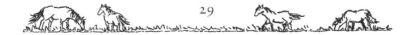

genüber für einen netten Menschen halten. Emma konnte so viel Verstellungskunst nur bewundern. »Und wie viel wäre das?«

Gansmann zuckte die Schultern. Er pflückte eine Spinne von seinem Anzug und zerdrückte sie. »Der Schlachter zahlt mir dreihundert Mark, also sind Sie mit vierhundert dabei.«

»Wissen Sie was?« Dolly strich sich das weiße Haar aus der Stirn. »Ich gebe Ihnen zweihundert. So viel habe ich dabei.«

»Was?« Gansmann lachte. »Soll das ein schlechter Scherz sein? Für so was habe ich keine Zeit.«

»Eben«, sagte Dolly. »Sie haben keine Zeit. Sieht man Ihnen an. Und genau deshalb biete ich Ihnen zweihundert Mark. Der nächste Pferdeschlachter ist der dicke Piet, der wohnt weit, weit weg, außerdem lässt er sich mit allem sehr viel Zeit. Was hat er Ihnen gesagt? Dass er übermorgen kommt? Oder überübermorgen? Dann rechnen Sie mal ruhig noch vier Tage drauf. Bei Piet weiß man nie so genau. Rufen Sie ihn an«, Dolly zeigte auf das tragbare Telefon, das Gansmann aus der Jackentasche ragte. »Sie haben da doch so ein herrlich praktisches Gerät. Rufen Sie Piet an und fragen Sie ihn, wann er Mississippi abholt.«

Albert Gansmann guckte Dolly an, zog sein Telefon raus – und steckte es wieder weg. »Schon gut. Ich habe gehört, dass dieser Schlachter nicht der schnellste ist.« Er rückte seine Krawatte zurecht. »Geben Sie mir zweihundertfünfzig.«

Emma hielt die Luft an und guckte ihre Großmutter an. Die schien sich prächtig zu amüsieren.

»Zweihundert habe ich gesagt. Eigentlich müsste ich doch diejenige sein, die schlecht hört, oder?«

Albert Gansmann kniff verärgert die Augen zusammen. »Dackel-Dolly. Sie waren schon immer so stur, was? Mein Onkel hat mal behauptet, dass Ihr Kopf härter ist als die Friedhofsmauer. Legt euch nicht mit Dolly an, hat er immer gesagt.«

»Ja, ja, er kannte mich gut«, sagte Dolly. »Ziemlich gut sogar. Wollte mich mal mit nach Amerika nehmen, aber das ist eine alte Geschichte. Also, wie ist es? Zweihundert?«

Gansmann zuckte die Schultern. »Zweihundert. Ich habe Besseres zu tun, als hier rumzustehen und mit einer alten Frau um Peanuts zu feilschen. Geben Sie mir das Geld, aber dann nehmen Sie den Klepper auch sofort mit, verstanden?«

»Oh, das machen wir«, rutschte es Emma heraus. »Gerne.«

Gansmann guckte sie nicht mal an.

Dolly zog ihr Portemonnaie aus der Jackentasche und zählte ihm das Geld in die Hand. »Ach, noch etwas«, sagte sie. »Ich habe so etwas gern schriftlich. Schreiben Sie mir auf einen Zettel, dass ich das Pferd rechtmäßig erworben habe.«

Gansmann seufzte. Sein Telefon klingelte, aber er beachtete es nicht. »Sonst noch Extrawünsche? Soll ich den Gaul auch noch schön einpacken, ihm eine Schleife umbinden?«

»Nein, danke«, sagte Dolly. »Das ist nicht nötig. Wir nehmen sie auch so mit.«

Darüber musste Albert Gansmann lachen. Netter klang das allerdings nicht. »Was wollen Sie denn eigentlich mit dem Pferd?«, fragte er.

»Tja, wissen Sie«, Dolly sah sich in Klipperbuschs Schlafzimmer um, »eigentlich wollte ich Mississippi bloß vorm Schlachter retten – was Sie sicher nicht verstehen können. Aber da sie mich nun so viel von meinem hart verdienten Geld kostet, habe ich noch eine andere Idee. Meine Enkelin hier ist ganz verrückt auf Pferde. Und mit meinem alten Wallach ist nicht mehr allzu viel anzufangen. Also werde ich ihr die Stute schenken.«

Emma guckte Dolly sprachlos an.

Aber Albert Gansmann lachte schon wieder. »So, so«, sagte er spöttisch. »Tja, viel Spaß, Kleine. Ein Traumpferd ist das nicht gerade.«

Emma beachtete ihn gar nicht. Sie stand immer noch sprachlos da und dachte über das nach, was Dolly eben gesagt hatte.

»Was soll ich schreiben?«, fragte Gansmann. Er drehte seinen Schreibblock um.

Dolly diktierte es ihm: »Hiermit verkaufe ich, Albert Gansmann, Dolores Blumentritt die Stute Mississippi zum Preis von 200 D-Mark. Datum. Unterschrift.«

Als Gansmann ihr den unterschriebenen Zettel reichte, las sie ihn sorgfältig noch mal durch. Dann nickte sie, faltete ihn zusammen und steckte ihn in die Hosentasche.

»Vielen Dank«, sagte sie. »Und vielleicht finden Sie ja doch noch einen Goldschatz in der Matratze. Komm, Emma.«

So schnell sie konnten, verließen sie das Haus. Als Emma sich unten auf dem Hof noch mal umdrehte, sah sie Albert Gansmann oben am Fenster stehen und auf sie heruntergucken. »Dein Witz mit der Matratze hat ihm, glaub ich, nicht gefallen«, sagte sie zu Dolly.

»Na und? Mir hat der ganze Kerl nicht gefallen«, antwortete Dolly. »Komm, wir holen jetzt erst mal Mississippi und machen, dass wir nach Hause kommen. Ist ein weiter Weg zu Fuß.«

Die Stute stand in der letzten Box des leeren Pferdestalls. Als Dolly und Emma näher kamen, spitzte sie die Ohren und trat unruhig auf der Stelle. Dolly streckte ihre Hand aus und ließ Mississippi ausführlich daran schnuppern.

»Pferde sind ein bisschen wie Hunde«, sagte sie leise. »Sie beurteilen dich nach deinem Geruch. Ich hoffe, meiner gefällt der Dame.«

»Ich finde, sie sieht hübsch aus«, flüsterte Emma.

»Na, Mississippi«, sagte Dolly leise. »Hast du Lust auf einen Spaziergang?« Sie guckte sich um. »Emma, siehst du hier irgendwo ein Halfter hängen? Ein Strick dazu wäre auch nicht schlecht. Knapps hatte es so eilig, dass ich ganz vergessen habe so was mitzunehmen.«

Emma musste lange suchen, bis sie in einer der vorderen Boxen endlich ein Halfter und ein Seil mit Karabinerhaken fand. Aber in einer bemalten Truhe, die neben der Stalltür stand, entdeckte sie noch etwas: eine alte Satteltasche, voll gestopft mit bunten Bändern, Glöckchen und Stoffblumen, die schöne Decke, die Klipperbusch immer unter Mississippis Sattel gelegt hatte, rotes Zaumzeug und den Sattel selbst. Aus der Nähe betrachtet sah er noch schöner aus. Bewundernd strich Emma über das verzierte Leder.

»Na, hast du was gefunden?«, fragte Dolly.

»Jede Menge!«, antwortete Emma. Sie brachte ihrer Großmutter das Halfter, das Seil und die Satteltasche. »Da in der Truhe liegen noch der Sattel, das Zaumzeug und all so was. Aber das haben wir ja wohl nicht mitgekauft, oder?«

»Finde ich schon«, sagte Dolly. »Die Decke und den Sattel legen wir Mississippi auf, aber pack das Zaumzeug mit in die Satteltasche. Wir nehmen lieber das Halfter und das Seil um sie nach Hause zu bringen.«

Also holte Emma alles, was in Klipperbuschs Truhe war, und legte es neben Mississippis Box ins Stroh. »Ich hab noch nie so einen schönen Sattel gesehen«, sagte sie. »Aber er hat eine komische Form, was?«

Dolly nickte. »Das ist ein Westernsattel. Den hat sich Klipperbusch extra aus Amerika kommen lassen. Das ganze Dorf hat sich darüber lustig gemacht, als er das erste Mal auf dem Ding herumritt, aber Klipperbusch war das egal. Ihn hat nie interessiert, was die Leute sagen. So, meine Hübsche«, Dolly öffnete die Box und trat auf Mississippi zu.

Die Stute machte einen Schritt zurück und schnaubte. Aber als Dolly ihr das Halfter anlegte, hielt sie still. Dolly befestigte vorsichtig den Strick, tätschelte Mississippi noch mal beruhigend den Hals und zog sie dann hinter sich her aus der Box.

Als sie der Stute die Decke und den Sattel auflegte, wurde Mississippi ein bisschen nervös, aber Dolly streichelte sie und redete leise mit ihr, da beruhigte sie sich wieder.

»Reiten kann ich sie noch nicht, was?«, fragte Emma.

»Nein, Schätzchen«, Dolly schüttelte lächelnd den Kopf. »Dazu sollte sie dich erst mal richtig kennen lernen. Außerdem ist die Dame sehr wählerisch, was ihre Reiter betrifft. Du musst dir schon sehr sicher sein, dass sie dich mag, bevor du dich auf ihren Rücken traust.«

»Na ja, macht nichts.« Emma hängte sich die Satteltaschen um und öffnete die Stalltür.

Mississippi zog die frische Luft in die Nüstern, sie schnaubte und konnte gar nicht schnell genug ins Freie kommen.

»Na, na«, sagte Dolly. »Wie lange stehst du denn schon im Stall?«

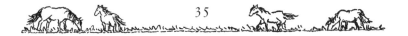

Als sie die Stute über den Hof führte, guckte Mississippi sich ein paarmal um, aber sie folgte Dolly lammfromm zum Tor hinaus.

»Na, bitte sehr!«, sagte Dolly erleichtert. Sie gingen die schmale Landstraße entlang, die zurück zum Dorf führte. »Das lief ja wie geschmiert. Aber zu Hause brauche ich erst mal einen Cognac um die Erinnerung an diesen Gansmann runterzuspülen. So einen Neffen hat Klipperbusch wirklich nicht verdient.« Sie drehte sich zu der Stute um. »Eine hübsche Dame, was? Trotz ihrer Zebrastreifen. Wusstest du, dass bei Pferden das Fell immer weiß nachwächst, wenn sie sich verletzen?«

Emma schüttelte den Kopf.

Dolly beugte sich zu ihr herunter. »Ist was?«

Emma räusperte sich. »Das vorhin. Das, was du gesagt hast. Das hast du nur so gesagt, oder?«

»Was hab ich denn gesagt?« Dolly grinste. »Ich kann mich gar nicht erinnern.«

Emma wurde rot. »Na, dass du mir das Pferd schenken willst.«

Dolly grinste noch mehr. »Ach, das hab ich gesagt? Na, wenn ich das gesagt habe, dann hab ich es auch so gemeint.«

Da fiel ihr Emma um den Hals. So heftig, dass Dolly fast das Seil losließ.

»He, he, nicht so stürmisch!«, rief sie. »Sonst ist dein Pferd weg, bevor du was davon gehabt hast.«

Emma konnte vor Aufregung kaum atmen.

»Meinst du«, fragte sie, als sie wieder ein bisschen Luft bekam, »meinst du, Aldo und Mississippi vertragen sich?« Sie griff in ihre Jackentasche. »Mist, ich hab nicht mal eine Möhre für sie.«

Immer wieder drehte sie sich um und guckte die Stute an. Ihre Stute. Mississippi spitzte die Ohren und guckte zurück.

»Wenn sie sich nicht vertragen, liegt das bestimmt nicht an Aldo«, sagte Dolly. »Wir werden sie ein paar Tage getrennt halten. Sie sollen sich erst mal über den Zaun beschnuppern. Irgendwann merken sie dann, dass es zu zweit viel netter ist als allein.«

»Du, Dolly«, Emma hüpfte aufgeregt vor Dolly her, »du musst Doktor Knapps anrufen und ihm sein Geld zurückgeben. Du musst ihm sagen, dass wir Mississippi gekauft haben.«

»Ja, ja!« Dolly blieb stehen, als ein Auto vorbeifuhr, aber Mississippi scheute nicht. Offenbar war sie an Autos gewöhnt. »Allerdings – ein bisschen solltest du deine Freude noch bremsen. Es ist unwahrscheinlich, aber es könnte ja sein, dass Klipperbusch das Pferd gar nicht seinem Neffen vererbt hat. Dann gilt unser Kaufvertrag nicht. Hast du daran schon gedacht?«

Erschrocken sah Emma sie an.

»Nein!«, murmelte sie.

»Solltest du aber«, sagte Dolly. »Vorsichtshalber. Es ist zwar unwahrscheinlich, denn Klipperbusch hatte, soviel ich weiß, keine anderen Verwandten, aber – denken solltest du daran. So ein ganz, ganz kleines bisschen. In Ordnung?«

Emma nickte.

Daran würde sie bestimmt denken. Ständig. Und bestimmt nicht nur ein kleines bisschen.

»Dolly?«, fragte sie. »Wollte der alte Klipperbusch dich wirklich nach Amerika mitnehmen?«

Ihre Großmutter lachte. So laut, dass Mississippi die Ohren spitzte. »Ja, das wollte er«, sagte sie. »Aber ich wollte nicht. Und jetzt vergiss die Sache. Das ist so lange her, dass es schon gar nicht mehr wahr ist.«

»Irgendwann will ich die Geschichte trotzdem mal hören«, sagte Emma. »Irgendwann«, antwortete Dolly. »Aber jetzt halte du mal dein Pferd. Mir wird der Arm schon lahm.«

Den ganzen restlichen Heimweg führte Emma Mississippi. Tausend Schmetterlinge hatte sie im Bauch und einen trockenen Mund vor Glück, aber so richtig glauben konnte sie es immer noch nicht.

Dass sie plötzlich ein Pferd hatte.

Ein eigenes echtes Pferd.

Nein. So was passiert in Büchern oder im Film, dachte sie

immer wieder. Nicht in Wirklichkeit. Und schon gar nicht
mir – ich darf doch nicht mal ein Meerschwein haben.
Aber dann drehte sie sich um und da war Mississippi.
Und Emma guckte die Stute einfach nur an, freute sich –
und versuchte, nicht daran zu denken, wie kurz Sommerferien sein können.

»Oh, du meine Güte, tun mir die Füße weh!«, stöhnte Dolly, als sie am Dorfteich ankamen. »Das war ja noch schlimmer als Fahrradfahren. Dafür ist mir Knapps mindestens drei Katzenbehandlungen schuldig.«

Als sie das Tor öffnete, sprang Zottel ihr bellend entgegen. »Na, na, das Gebelle muss ich dir aber noch abgewöhnen, Dicker«, sagte Dolly. »Sonst bist du der nächste Sonntagsbraten in Elsbeths Kochtopf.«

Auf der Bank unter dem Walnussbaum warteten Max und Leo.

»He, Emma!«, rief Max. »Was machst du denn mit dem Gaul vom alten Klipperbusch?«

»Pscht!«, zischte Leo. Besorgt guckte er sich um. »Das bringt Unglück.«

»Was?« Erstaunt guckte sein großer Bruder ihn an.

»Den Namen von 'nem Toten zu sagen.«

»Ach, Blödsinn.« Max grinste und lief auf Emma zu.

Mississippi tänzelte nervös auf der Stelle.

Dolly klopfte ihr beruhigend den Hals. »Emma, ich glaub, du bringst jetzt erst mal dein Pferd auf die Koppel. Stell sie auf die kleine, hinter dem Ziegenstall.«

»Okay«, Emma schnalzte mit der Zunge und zog Mississippi hinter sich her. »Ihr könnt ja mitkommen, wenn ihr wollt«, sagte sie im Vorbeigehen zu den beiden Jungen, »aber ganz leise, ja? Mississippi wird sonst nervös.«

»Du tust ja gerade so, als ob wir nichts von Pferden verstehen«, rief Max ihr hinterher.

Aldo stand dösend unter einem Fliederbusch, als Emma das Gatter zur kleinen Koppel öffnete. Neugierig hob er den Kopf und sah herüber.

Emma band Mississippi am Zaun fest, nahm ihr den Sattel ab und führte sie dann auf ihre neue Weide. Unruhig sah die Stute sich um.

»Na?«, sagte Emma leise. »Wie gefällt es dir hier? Ist alles noch fremd, was? Die Geräusche, die Gerüche ...«

Mississippi spitzte die Ohren, machte ein paar Schritte zurück und sah sich um. Sie blähte die Nüstern und schnaubte.

»Das Gras schmeckt hier bestimmt auch anders als bei dir zu Hause«, sagte Emma. »Ich kenn das Gefühl, weißt du? Dass alles fremd ist, mein ich. Ich wette, ich bin schon öfter umgezogen als du.«

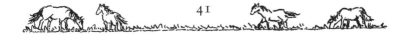

Jetzt hatte die Stute Aldo entdeckt. Sie trabte ein paar Meter in seine Richtung, blieb stehen und wieherte leise. Aldo schnaubte und trottete auf den Zaun zu, der die beiden Koppeln trennte.

»Das ist Aldo.« Emma ging langsam durch das kurze Gras hinter Mississippi her. »Er ist älter als du und ziemlich faul. Aber ihr werdet euch bestimmt vertragen.«

Die Stute spitzte die Ohren und sah sich nach Emma um, als würde sie jedes Wort verstehen. Emma ging auf sie zu, strich über die weiche Mähne und hielt ihr die Hand unter die schnuppernden Nüstern. »Meinen Namen weißt du noch gar nicht, was? Interessiert Pferde so was? Ich heiß Emma.« Aldo streckte den Hals über den Zaun und wieherte. Mississippi riss den Kopf hoch und drehte sich um. Die beiden guckten sich an.

»He, Emma!«, rief Max vom Gatter rüber. »Was quatschst du denn da? Pferde mögen nicht, wenn man sie voll quatscht.«

»Ja, ja.« Emma lief zurück, kletterte den Zaun hoch und hockte sich neben Max auf den obersten Holm. »Du hast doch gar keine Ahnung. Ich denk, du magst Pferde nicht.«

Max zuckte die Achseln. »Nicht besonders. Leo mag sie.«

Leo lehnte am Gatter und guckte zu den beiden Pferden hin, die sich gerade über den trennenden Zaun weg beschnupperten.

»Was meinte Dolly damit?«, fragte Max. »Dein Pferd. Mein Vater hat gesagt, Klipperbuschs Neffe lässt Wurst aus ihr machen.«

»Wollte er auch«, sagte Emma, »aber Dolly hat ihm Mississippi abgekauft und mir geschenkt.«

»Na, viel Spaß!« Max lachte. »Dann kauf dir schon mal ’ne Hundeleine für sie. Reiten ließ sie sich nämlich nur vom alten Klipperbusch. Weißt du noch, wie sie Hinnerk abgeworfen hat, Leo?«

»Klar.« Leo nickte ohne die Augen von den Pferden abzuwenden.

»Hinnerk? Ist das der aus der Autowerkstatt?«, fragte Emma.

»Genau.« Max nickte. »Überall hat er rumerzählt, dass er reiten kann wie ein Cowboy. ›Ach, ja?‹, hat der alte Klipperbusch gesagt. ›Dann reite doch mal ’ne Runde auf Mississippi um den Dorfteich.‹ Mitten in den Teich ist Hinnerk geflogen. Hat ausgesehen wie ein Schlammgeist, als er wieder rauskam. Mensch, war der wütend.«

Emma schüttelte den Kopf und guckte zu Mississippi hinüber. Die Stute und Aldo beschnupperten sich immer noch. Emma hörte die beiden leise wiehern.

»Hat Mississippi Klipperbuschs Neffen auch mal abgeworfen?«, fragte sie.

Leo schüttelte den Kopf. »Der sitzt lieber in ’nem dicken

Auto als auf einem Pferd. Außerdem wohnt er schon ewig in der Stadt. Hat da irgend so 'ne Firma. Er ist nur einmal im Monat hergekommen um Klipperbusch zu besuchen. Sie sind dann immer zusammen zum Grab von Klipperbuschs Schwester gegangen, Klipperbusch auf Mississippi und sein Neffe im Auto hinterher.«

»Weißt du, wie ich ihn getauft hab?« Max kicherte. »Den Alligator. Wegen seinem Lächeln. Du musst mal drauf achten. Der Kerl lächelt wie ein Krokodil. Wie ein echtes Krokodil.«

Max machte das Lächeln nach. Emma und Leo mussten lachen.

»Ziemlich echt«, sagte Emma.

Sie guckten wieder zu den Pferden hinüber. Die beiden grasten, jedes auf seiner Seite des Zauns.

»Ist gut, dass Aldo ein Wallach ist«, meinte Leo. »Ein Wallach und eine Stute vertragen sich meistens gut.«

Max grinste. »Mein Vater sagt, dass Klipperbusch Mississippi manchmal ins Haus geholt und ihr 'ne Tasse Kaffee hingestellt hat. Stellt euch das vor.«

Leo und Emma lehnten sich kichernd über den Zaun.

»Warum heißt sie eigentlich Mississippi?«, fragte Emma.

»Weil Klipperbuschs Lieblingsbuch *Tom Sawyer* war«, sagte Leo.

»Genau. Und das spielt am Mississippi«, brummte Max. »Tausendmal hat er uns das erzählt. Und uns mit seinen Sprüchen genervt. He, hört mal«, er drehte sich um. »Da vorne hupt einer wie verrückt.«

Vor Dollys Tor stand der Wagen von Doktor Knapps. Mit Tom und Jerry auf dem Rücksitz.
»Dolly!«, rief der Doktor aus dem Autofenster. »Dolly, Hilfe!«
Elsbeth Dockenfuß lehnte sich neugierig über ihr Gartentor. »Was soll der Lärm?«, rief sie. »Es ist Mittagszeit.«
»Hallo, Elsbeth!«, rief der Doktor und winkte ihr durch die Windschutzscheibe zu. »Emma, bitte!« Er senkte die Stimme. »Könntest du wohl so freundlich sein und deine Großmutter holen?«
»Klar.«
Emma rannte ins Haus und holte Dolly.
»Was gibt's?«, fragte sie. »Kann man hier denn nicht mal zehn Minuten Radio hören?«
»Deine Hunde!«, sagte Doktor Knapps. »Ich bekomme deine Hunde nicht wieder aus dem Wagen. Zweimal hab ich schon versucht sie abzusetzen, aber sie steigen einfach nicht aus! Und sobald ich sie allein lasse, knabbern sie an meinen Kopfstützen.«
»Ja, ja, das kenn ich.« Dolly öffnete die hintere Wagentür

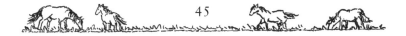

45

und pfiff einmal durch die Zähne. Sofort sprangen Tom und Jerry aus dem Auto und liefen schwanzwedelnd um Dolly herum.

»Gott sei Dank!« Erleichtert lehnte der Doktor sich zurück. »Dann erzähl mir jetzt mal, wie es bei Klipperbuschs Neffen gelaufen ist. Habt ihr die Stute?«

Dolly nickte.

»Hurra!«, rief der Doktor und trommelte vor Freude auf seinem Lenkrad herum. »Dann können wir ja jetzt alles tun, damit die Dame noch ein paar schöne Jahre vor sich hat, was?«

»Vierhundert Mark wollte er haben«, erzählte Emma. »Aber Dolly hat ihn auf zweihundert runtergehandelt.«

»Na, wunderbar!« Doktor Knapps grinste. »Dann krieg ich ja noch einen ganzen Hunderter wieder.«

»Dreihundert kriegst du«, sagte Dolly und zog ihr Portemonnaie raus. »Ich habe beschlossen Emma das Pferd zu schenken. Wo ich schon so hart für ihre Rettung arbeiten musste, da soll die Stute jetzt auch in der Familie bleiben. Außerdem wird Aldo sich über Gesellschaft freuen.«

Verblüfft sah der Doktor sie an.

»Na, nun bin ich platt!«, sagte er. »Da stimme ich aber nur unter einer Bedingung zu.«

»Und die wäre?«, fragte Dolly.

Emma sah den Tierarzt besorgt an.

»Die nächsten drei Monate übernehme ich alle Futterkosten«, sagte Knapps. »Und Emma kocht mir demnächst noch mal so einen wunderbar starken Kaffee. Einverstanden?«

Emma grinste. »Einverstanden.«

»Die Hand drauf!« Doktor Knapps streckte ihr durchs Wagenfenster seine lange, dünne Hand entgegen. »Herzlichen Glückwunsch, Pferdebesitzerin. Und ganz im Vertrauen, Mississippi ist ein tolles Pferd. Auch wenn sie nicht so aussieht.«

»Och, ich finde sie sehr hübsch«, sagte Emma.

»Na, wunderbar!«, rief der Doktor. »Der alte Klipperbusch würde vor Freude über sein Grab hüpfen, wenn er das gehört hätte. Ach, übrigens, er hat Mississippi sonntags immer einen Riegel Schokolade spendiert. Wäre gut, wenn du ihr das abgewöhnst.«

Dann winkte er noch mal aus dem Fenster, gab Gas und fuhr davon. Ein bisschen schneller als sonst.

Als es Zeit fürs Abendessen war, gingen Leo und Max nach Hause. Ihre Eltern bekamen die Jungen nicht oft zu Gesicht, wenn Emma da war. Als die zwei weg waren, fütterten Dolly und Emma die Tiere, Emma machte ihr Spezialrührei und dann guckten sie sich im Fernsehen einen alten Film an. Mit Cary Grant und sehr viel Liebe. Dolly musste wie immer beim Happyend weinen und danach gingen sie schlafen.

Oben in Emmas Zimmer lagen Tom und Jerry schon schmatzend auf ihrem Bett und die schwarze Katze hatte es sich auf dem Kleiderschrank gemütlich gemacht.

Emma liebte ihr kleines Zimmer bei Dolly unterm Dach – die geblümte Bettdecke, die angestaubten Lavendelsträuße auf der Fensterbank, die alten Fotos von Emmas Mutter und Dolly an der Wand, das dicke Kissen, in dem ihr Kopf fast versank. Sonst schlief sie darauf immer wie ein Stein. Aber heute Nacht bekam sie kein Auge zu.

In einem fort musste sie an Mississippi denken. Schließlich

bekommt man nicht jeden Tag ein Pferd geschenkt. Am liebsten hätte Emma sich ein Bett im Stroh gebaut, neben Mississippis Box, aber Dolly hatte was von Ratten erzählt, die nebenan im Hühnerstall nach Futter suchten, und da hatte sie es doch lieber gelassen.

Trotzdem, irgendwann, als es draußen schon stockdunkel war, hielt Emma es nicht mehr aus. Sie zog ihren Morgenmantel an, stieg in ihre Gummistiefel und schlich mit der Taschenlampe aus dem Haus. Tom und Jerry folgten ihr verschlafen nach draußen. Als sie über den Hof ging, sah Emma zum Nachthimmel hinauf. Hier bei Dolly war er wirklich schwarz, nicht so milchig grau wie in der Stadt, und übersät von Sternen.

Ein paar von Dollys Katzen schlichen an den Ställen entlang, auf der Suche nach leichtsinnigen Mäusen. Die Tür vom Pferdestall knarrte, als Emma sie öffnete. Leise schlüpfte sie hinein. Es roch nach frischem Stroh und Pferden.

Eins schnaubte in der Dunkelheit. Während Tom und Jerry im Stroh herumstöberten, lief Emma zu Mississippi. Dolly hatte für die Stute die hintere Box vorbereitet, sodass zwischen ihr und Aldo eine Box leer blieb. Schließlich kannten die zwei sich ja erst einen Tag.

Ganz still stand Mississippi da, mit geschlossenen Augen und angehobener Hinterhand. Ihr Fell schimmerte im Dunkeln. Emma hätte sie zu gern gestreichelt, aber sie wollte die Stute nicht erschrecken, also guckte sie sie einfach nur an.

»Weißt du was?«, sagte sie leise. »Ich werde dich Missi nennen. Du hast doch nichts dagegen, oder?«

Die Stute hob verschlafen den Kopf und öffnete die Augen. Als sie Emma sah, blähte sie die Nüstern und spitzte die Ohren. Ganz vorsichtig streckte Emma die Hand aus und strich ihr über die weiche Schnauze.

»Was erzählen die bloß?«, sagte sie. »Du bist überhaupt nicht biestig. Kein bisschen. Du gehörst jetzt mir, weißt du das schon?«

Die Stute sah sie an. Ihre Ohren zuckten.

»Ich werde dich leider immer nur in den Ferien sehen«, sagte Emma. »Aber ich schick dir jeden Monat Möhren und Zuckerwürfel. Magst du Zuckerwürfel? Ach nein, die sind bestimmt nicht gut für deine Zähne.«

Tom und Jerry stupsten Emma mit den Schnauzen an.

»Ja, ja, ich komm gleich«, sagte sie.

Als Mississippi die Hunde witterte, wurde sie unruhig. Sie machte einen Schritt zurück.

»Ihr Dummköpfe.« Emma kraulte Jerry hinter den Ohren. »Jetzt habt ihr sie erschreckt. Na, kommt, wir gehen wieder ins Haus. Bis morgen, Missi«, sagte sie. »Und schlaf gut.«

Im Stroh raschelte es. Ein bisschen unheimlich klang das

schon, aber Emma stellte sich einfach ein paar nette kleine Mäuse vor. Vor denen hatte sie nämlich keine Angst.

Unter dem letzten Stallfenster stand jetzt eine Kiste mit Mississippis Sattel, Decke und Zaumzeug. Dolly hatte sie extra vom Dachboden geholt. So schön wie die von Klipperbusch war sie nicht, aber Emma wollte sie noch anmalen. Mississippis Namen hatte sie schon draufgeschrieben. Mit großen Schnörkelbuchstaben. Die waren zwar nicht besonders gut zu lesen, aber dafür sahen sie hübsch aus. Emma klappte den Deckel auf, schob das Zaumzeug zur Seite und strich noch mal über den Sattel.

Tom kratzte an der Stalltür und winselte.

Emma klappte die Truhe mit einem Seufzer wieder zu, öffnete den Hunden die Tür und ging mit ihnen zum Haus zurück.

In Dollys Zimmer und in der Küche war es dunkel. Nur im Flur brannte Licht. Manchmal, wenn Dolly nicht schlafen konnte, setzte sie sich an den Küchentisch, las und trank heiße Milch mit Honig. Heute war nur Dollys Tigerkatze in der Küche. Zusammengerollt lag sie auf dem Sofa, den Kopf auf ihrem Schwanz. Als Tom und Jerry durch die Tür guckten, fauchte sie leise. Emma schlich an ihr vorbei zum Kühlschrank, trank ein Glas Milch und scheuchte die Hunde die Treppe hinauf.

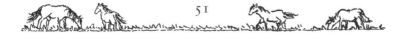

51

Die schwarze Katze lag immer noch auf dem Schrank. Tom und Jerry sprangen aufs Bett, sobald Emma wieder unter die Decke gekrochen war.

»Ach, Mississippi«, murmelte sie, kuschelte sich ins Kissen – und war so schnell eingeschlafen, dass sie nicht mal mehr das Licht ausknipsen konnte.

Am nächsten Tag regnete es in Strömen.

»Na, heute kippen die Engel wohl mal wieder ihre Badewannen aus, was?«, brummte Dolly beim Frühstück. Alle Hunde lagen um sie herum und die Katzen hatten es sich oben in den Schlafzimmern gemütlich gemacht. Als Emma zu den Ställen rausgelaufen war, um die anderen Tiere zu füttern, hatte nicht mal Jerry die Schnauze aus der Tür gesteckt. Und den konnte sonst eigentlich kein Wetter schrecken.

»Hast du die Pferde auf die Koppel gebracht?«, fragte Dolly. Emma schüttelte den Kopf. »Bei dem Wetter? Ich denke, da erkälten sie sich.«

Dolly lachte. »Nein, Schätzchen, das macht denen nichts. Im Gegenteil, wenn sie den ganzen Tag im Stall stehen, langweilen sie sich so, dass sie irgendwann nur noch gegen die Wände treten.«

»Na, dann werde ich sie mal schnell rausbringen.« Emma sprang auf, schlüpfte in ihre Regensachen und lief nach draußen. Die Hunde guckten ihr nur verwundert nach. Nicht mal bis zur Haustür folgten sie ihr.

Emma hüpfte durch die Pfützen zum Pferdestall.

Drei Katzen hatten es sich in der leeren Box zwischen Aldo und Mississippi gemütlich gemacht.

Emma brachte erst den Wallach und dann Mississippi auf die Koppel. Die beiden freuten sich wirklich, nach draußen zu kommen. Der Regen schien sie überhaupt nicht zu stören. Und Emma vergaß ihn auch, als sie den Pferden zusah, die sich beschnupperten, stupsten und über den trennenden Zaun hinweg ihre Hälse aneinander rieben. Erst als ihr das Wasser in den Kragen lief, merkte sie, dass sie pitschenass war.

Schnell lief sie zum Haus zurück. Bei den Ställen entdeckte sie neben dem Misthaufen eine Katze. Mit kläglichem Miauen folgte sie Emma.

»Oh, nein, ich glaub, dich kenn ich noch nicht«, murmelte Emma. »Das heißt wohl noch 'ne Dose mehr aufmachen morgens, was?«

Sie lief noch etwas schneller, aber die Katze kam genauso schnell hinterher.

»Warum kommt ihr bloß alle zu Dolly? Hat sich rumgesprochen, dass das hier so was wie ein Tierhotel ist?« Emma machte die Haustür auf und das kleine, verdreckte Ding schlüpfte an ihr vorbei ins Trockene.

»Dolly?«, fragte Emma, während sie ihre Jacke auf die Heizung legte. »Hast du eine kleine weiße Katze?«

»Weiß? Klein?« Dolly streckte den Kopf aus der Küche. »Meinst du die da? Nein, kenn ich nicht.« Sie seufzte. »Oje, wieder ein Neuzugang. Und so mager, wie sie ist, bleibt sie.« Die Katze schlich in die Küche, fuhr zurück, als sie die Hundebande entdeckte, und huschte blitzschnell die Treppe hinauf.

»Wie ich mein Glück kenne«, sagte Dolly, »ist die Kleine auch noch trächtig. Tja, die Leute fahren in Urlaub, da wird das nicht mein einziger Neuzugang bleiben.«

Mit nachdenklichem Gesicht kehrte sie in die Küche zurück.

»Kann ich dir was helfen?«, fragte Emma.

»Gern.« Dolly war gerade dabei, die Katzen- und Hundenäpfe zu spülen. »Du könntest Kartoffeln schälen, damit hier nicht nur die Tiere was zu essen kriegen.«

»Kein Problem«, sagte Emma und machte sich an die Arbeit. Zottel kam, schnüffelte an den Kartoffelschalen und legte sich enttäuscht wieder unter den Küchentisch.

»Knapps hat gerade angerufen«, erzählte Dolly. »Da will schon wieder jemand seinen Hund loswerden. Ich fürchte, bald muss ich ein Schild aufstellen ›Wegen Überfüllung geschlossen‹. Zwei von den Katzen sind trächtig, Tom braucht Herztabletten, Zottel muss geimpft werden. Und Mississippi ...« Dolly unterbrach sich. »Verflixt, was rede ich

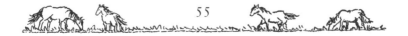

denn da wieder? Wie wär's, wenn ich dir einen warmen Kakao gegen das kalte Wetter koche?«

Sie ließ das Spülwasser ablaufen und trocknete sich die Hände ab.

Emma guckte sie besorgt an.

Als Dolly ihr Gesicht sah, lachte sie. »Ach je! Hör nicht auf mein Gejammer. Bei Regenwetter hab ich immer Jammerlaune. Nichts als Blödsinn, was ich dann von mir gebe. Du kannst Knapps fragen. Der kennt das.«

»Gar kein Blödsinn«, sagte Emma. »Weißt du was? Ich schick dir mein Taschengeld. Dann kannst du davon Mississippis Futter bezahlen. Na ja, wenigstens etwas davon, ja?«

Aber Dolly schüttelte nur den Kopf und strich ihr durchs Haar. »Nee, lass mal«, sagte sie. »Ich bekomm das schon hin. Aber ich sollte mir den Vorschlag von Knapps noch mal überlegen.«

»Was denn für einen Vorschlag?«, fragte Emma misstrauisch. Dolly hatte schon oft gute Ratschläge bekommen, wie sie ihre ständigen Geldsorgen loswerden könnte. Elsbeth Dockenfuß hatte ihr vorgeschlagen die Pferdekoppeln hinter den Ställen als Bauland für sechs Doppelhaushälften zu verkaufen. Herr Proske, dem die Autowerkstatt nebenan gehörte, wollte von Dolly Land für eine Autowaschanlage kaufen und der Vater von Leo und Max fand, dass Dolly Pudel züchten sollte.

»Ach«, Dolly trocknete die Näpfe ab und stellte sie wieder der Reihe nach neben die Küchentür. »Knapps hat vorgeschlagen, dass ich hier zusätzlich zu meinen ständigen Gästen so was wie eine Urlaubspension für Tiere aufmache. Gegen Bezahlung. Meerschweine eine Mark pro Tag, Katzen vier und Hunde fünf Mark, so was in der Art, verstehst du?«

»Das ist doch 'ne sehr gute Idee!«, rief Emma.

»Meinst du?« Dolly zuckte die Achseln. »Ich weiß nicht. So was kann einem auch leicht über den Kopf wachsen. Da kommen die Leute dann an und sagen: ›Mein Hund frisst aber nur dies‹ und ›Meine Katze muss jeden Morgen gebürstet werden.‹ Im Moment hab ich drei Hundemänner. Was mach ich denn, wenn hier plötzlich eine läufige Hündin und jede Menge putzmuntere Rüden herumlaufen? Ich glaube, die Leute werden gar nicht begeistert sein, wenn sie ein paar Monate nach dem Urlaub plötzlich Welpen oder kleine Kätzchen bekommen.«

»Stimmt«, murmelte Emma.

»Weißt du was?« Dolly setzte sich zu ihr an den Tisch und kraulte Zottel hinter den Ohren. »Es wird Zeit, dass du mir mal wieder ein paar von deinen schönen Zetteln malst. Du weißt schon, ›Nette Katze sucht netten Besitzer‹ oder ›Wie wäre es mit einem zottelsüßen kleinen Hund?‹.«

»Klar!« Emma nickte. »Mach ich doch gern.«

Jeden Sommer schrieb sie für Dolly Stapel solcher Zettel, hängte sie an Bäumen und beim Bäcker auf, im Dorfladen und an der Kirche.

»Diesmal musst du mir auch ein paar schwarz-weiße malen«, sagte Dolly. »Proske von der Autowerkstatt drüben hat sich ein Tischkopiergerät gekauft. Wenn du mit ein paar frischen Eiern rübergehst und ihm erzählst, wie toll du das Ding findest, lässt er dich bestimmt Kopien machen. Und ich steck die Dinger beim Zeitungsaustragen mit in die Briefkästen. Wie ich das so sehe, werden wir nämlich in diesem Sommer wieder viele junge Kätzchen bekommen. Und der ein oder andere Urlaubshund wird bestimmt auch bald bei mir landen.«

»Wird erledigt«, sagte Emma. »Ich mach mich gleich an die Arbeit.«

Und das tat sie.

Vorher besuchte sie aber noch mal Mississippi.

Gleich nach dem Mittagessen lief Emma rüber zu Proskes Autowerkstatt. Es regnete immer noch und Emma zog sich die Kapuze ihrer Regenjacke tief über die Augen.

Auf dem Parkplatz vor der Reparaturhalle waren ölige Pfützen. Emma rannte zwischen den abgestellten Autos und Traktoren durch – und in jemanden hinein.

»He, he, kannst du nicht aufpassen?«

Emma hob den Kopf und guckte dem Alligator ins Gesicht. Wie aus dem Ei gepellt stand er da, mit goldenen Manschettenknöpfen, einer dicken Uhr am Handgelenk und einem Anzug, der so schwarz wie der von einem Totengräber war. Von seinem Regenschirm tropfte es auf Emma runter.

»'tschuldigung!«, murmelte sie.

»Ach, du bist das«, sagte Albert Gansmann und lächelte sein Krokodilslächeln. »Die Enkelin von Dackel-Dolly. Na, du hast vielleicht eine Großmutter. Schenkt dir so einen Zossen! Aber vielleicht kann man die weißen Streifen ja anmalen. Was meinst du?«

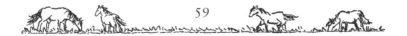

Emma guckte ihn nur düster an.

Der Alligator lehnte an seinem dicken Auto. Neben ihm stand Hinnerk, der Lehrling von Auto-Proske, und strich andächtig über den silbergrauen Lack. Emma kannte Hinnerk, weil er manchmal Ersatzteile für Dollys Auto rüberbrachte.

»Kann ich mal vorbei?« Sie zwängte sich zwischen den beiden Männern durch und lief auf die Werkstatthalle zu. Als sie sich noch mal umdrehte, himmelte Hinnerk immer noch das blöde Auto an.

Emma streckte dem Alligator die Zunge raus – was er leider nicht sah – und betrat die dunkle Halle.

»Herr Proske?«, rief sie. Suchend sah sie sich in der Dunkelheit um. Irgendwo klingelte ein Telefon.

Emma entdeckte ein kleines Büro hinter der Hebebühne. Sie klopfte an die schmierige Tür.

»Mittagspause!«, rief jemand. »Kommen Sie in 'ner Stunde wieder.«

Emma fasste sich ein Herz und steckte vorsichtig den Kopf durch die Tür. »Ich bin's, Herr Proske«, sagte sie. »Emma, die Enkelin von Dolly. Ich komm wegen des Kopierers.«

»Ach, hallo, Emma!« Herr Proske nahm die kurzen Beine vom Schreibtisch und schob sich den Rest seines Brötchens in den Mund. »Komm rein! Donnerwetter, du bist ja bestimmt 'nen halben Meter gewachsen, was? Wenn ich nicht aufpass, spuckst du mir nächstes Jahr auf die Glatze.«

Emma grinste und stellte einen vollen Eierkarton auf den Schreibtisch. »Dolly sagt, ich soll Ihnen die geben. Ob ich dafür wohl was kopieren kann?«

»Aber sicher!« Herr Proske zog Emma zu einem kleinen Tisch am Fenster. »Hier steht das Prachtstück!« Zärtlich wischte er mit einem Lappen über das Kopiergerät. »Toll, was? Weißt du, wie so was funktioniert?«

Emma nickte. »Wir haben in der Schule so ein ähnliches.«

»Gut. Dann leg mal los. Was willst du denn kopieren?«

»Och, nur ein paar Zettel – wegen Dollys Katzen, wissen Sie? Und ein paar Unterlagen von meiner Großmutter. Sie verlegt immer alles und deshalb will sie, dass ich die kopier.«

Herr Proske grinste. »Ja, die Ordentlichste war sie noch nie. Aber dafür der heißeste Feger im Ort. Wirklich schade, dass sie nicht wieder heiraten wollte.«

Emma guckte den kleinen, dicken Mann überrascht an.

Der strich sich verlegen über die Glatze. »Ja, ich hab ihr mal einen Antrag gemacht. Und ich war nicht der Einzige. Der alte Klipperbusch zum Beispiel, der hat es ein paarmal versucht, aber«, er schaltete den Kopierer an, »was erzähl ich dir die alten Geschichten? Ist ja nun wirklich langweilig für so ein junges Mädchen, was?«

»Find ich gar nicht«, sagte Emma. »Ich hör gern alte Geschichten. Dolly erzählt ja nichts.«

»Na, dann will ich auch mal nichts weiter ausplaudern«, sagte Herr Proske. »Mach du hier in Ruhe deine Kopien. Ich muss jetzt mal nach Hinnerk gucken. Ist so verdächtig still da draußen.«

Emma sah ihm nachdenklich nach.

»Hinnerk!«, hörte sie ihn brüllen. »Hör auf da rumzustehen und fremde Autos zu streicheln. Hier stapelt sich die Arbeit bis zur Decke!«

Emma grinste und machte sich ans Kopieren. Ganz zum Schluss zog sie noch einen sorgfältig gefalteten Zettel aus der Tasche. Es war der Kaufvertrag für Mississippi. Dolly hatte ihn an ihre Pinnwand in der Küche gehängt, aber Emma wollte sich eine Kopie mit nach Hause nehmen. Sie wollte sie über ihr Bett hängen. Für den Fall, dass sie mal aufwachte und dachte, dass ihr eigenes Pferd nur ein Traum gewesen war. Das würde ihr bestimmt hundertmal passieren.

In der neuen, fremden Wohnung im vierten Stock, weit weg von Dolly und Mississippi.

Im Flur standen zwei tropfende Schirme und aus dem Wohnzimmer drangen laute Stimmen. Das klang nach Alma und Henriette, Dollys besten Freundinnen.

Was wollen die denn hier?, dachte Emma. Ist doch erst Dienstag. Sonst trafen die zwei sich immer donnerstags mit Dolly, zum Kartenspielen. Emma schlich zur Tür und lauschte, aber sie konnte nichts verstehen, weil Dolly eine Opernplatte aufgelegt hatte.

Die neue weiße Katze kam aus der Küche, strich um Emmas Beine und miaute. Emma nahm sie auf den Arm und ging ins Wohnzimmer.

Alma und Henriette saßen nebeneinander auf dem Sofa und Dolly goss ihnen gerade einen Sherry ein.

»Na, wen haben wir denn da?«, trompetete Henriette. »Emma-Mäuschen, lass dich angucken. Gut siehst du aus. Wie eine kleine Sahneschnitte.«

»Aber doch ein bisschen blass«, meinte Alma. »Findet ihr nicht?«

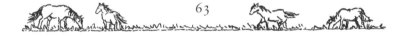

»Blödsinn, Alma«, dröhnte Henriette. »Nicht jeder ist so schweinchenrosa im Gesicht wie du.«

Beleidigt kniff Alma die Lippen zusammen.

»Beachte die beiden gar nicht«, sagte Dolly. »Sie langweilen sich nur. Deshalb sind sie auch hier. Hat Proske dich die Kopien machen lassen?«

Emma nickte. »Weißt du, was er mir erzählt hat? Dass du mal der heißeste Feger im Dorf warst.«

»Das hat er gesagt?« Dolly schüttelte den Kopf. »Bei dem kauf ich keinen einzigen Schraubenzieher mehr.«

»Weißt du, wen ich da noch getroffen habe?« Emma kraulte der weißen Katze das Kinn.

»Na, wen?« Dolly goss sich einen Kognak ein, schubste Tom und Jerry aus ihrem Sessel und setzte sich.

»Den Alligator«, sagte Emma.

»Du lieber Himmel!« Alma riss die Augen auf. »Wer ist das denn?«

»Klipperbuschs Neffe«, sagte Emma. »Max und Leo haben ihn so getauft.«

»Sehr passend, der Name«, brummte Dolly. »Und? Was wollte er bei Proske? War sein feines Auto kaputt?«

Emma zuckte die Achseln. »Keine Ahnung. Er stand nur rum und ließ sich von Hinnerk anhimmeln.«

Dolly schüttelte nachdenklich den Kopf. »Ich dachte, der ist längst wieder in der Stadt.«

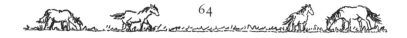

»Ist er nicht«, flötete Alma. Sie beugte sich vor und senkte die Stimme. »Man sagt, er stöbert im Haus seines Onkels herum und sucht was. Und dass er nicht in die Stadt zurückfährt, weil er es noch nicht gefunden hat.«

»So ein Dummkopf.« Dolly nahm einen großen Schluck von ihrem Kognak. »Klipperbusch hätte sein Geld nie zu Hause versteckt. Da hätte ihm doch keiner Zinsen gezahlt. Und Klipperbusch liebte seine Zinsen. Über die konnte er sich wie ein kleiner Junge freuen.«

»Was meinst du, Dolly?« Die dicke Henriette machte ein geheimnisvolles Gesicht. »Kriegt er den Hof?«

»Ach, deshalb seid ihr hier!«, rief Dolly. »Ihr denkt, ich weiß was über Klipperbuschs Testament. Tut mir leid, ich kann zum Dorfklatsch nichts beitragen.«

»Wirklich nicht?« Alma lehnte sich wieder zurück.

»Was für eine Enttäuschung!«, seufzte Henriette. »Wir dachten ...«

»Ich weiß, was ihr dachtet«, unterbrach Dolly sie. »Aber ich kann euch nur sagen, dass Klipperbusch seinen Neffen lieber mochte, als der es verdient hat. Und dass ich denke, dass er ihm alles vererben wird, weil er nun mal der Sohn von seiner Lieblingsschwester ist.«

Alma und Henriette sahen sich an. »Klipperbuschs Haushälterin macht aber überall so komische Andeutungen«, sagte Alma. »Dass das Testament einen Haken hat, dass

Klipperbusch den extra eingebaut hat und dass er einen Heidenspaß dabei gehabt hat.«

»Was denn für einen Haken?«, fragte Emma beunruhigt. Die Weiße sprang von ihrem Schoß und schlich zum Wellensittichkäfig rüber.

Dolly scheuchte sie weg. »Ach, alles nichts als Tratsch. Seht ihr, was ihr anrichtet mit eurem Gerede? Ihr macht das Kind noch ganz verrückt.«

»Wieso?« Henriette und Alma guckten Emma überrascht an.

»Weil ich ihr Klipperbuschs Stute gekauft habe, verdammt noch mal!« Dolly goss sich noch einen Kaffee ein. »Gansmann wollte sie zum Schlachter geben. Das habt ihr doch bestimmt auch schon gehört, wie ich euch kenne.«

Henriette schwieg, aber Alma riss erstaunt die Augen auf. »Nein!«, rief sie. »Du hast sie gekauft?«

»Ja, hab ich«, Dolly nickte. »Deine Tratschquellen sind aber wirklich nicht auf Zack, Alma, wenn du das noch nicht erfahren hast.«

»Ach, in ihrem Altersheim erfährt man überhaupt nichts.« Henriette zupfte die Schleife über ihrem gewaltigen Busen zurecht. »Ich muss sie ständig auf dem Laufenden halten.« Henriette hatte einen kleinen Hofladen auf dem Bauernhof ihres Schwiegersohns eingerichtet. Das ganze Dorf kaufte bei ihr ein. Sie war immer auf dem Laufenden.

»Du liebe Güte, zwei Pferde, Dolly!« Alma seufzte. »Übertreibst du nicht langsam?«

»Das Pferd gehört Emma«, sagte Dolly. »Und außerdem geht dich das nichts an, Alma. Ich läster ja auch nicht über deine Balkon-Gartenzwerge.«

Die weiße Katze sprang auf die Armstütze von Dollys Sessel, starrte auf den Tisch und leckte sich das Mäulchen.

»Also, trinkt euren Sherry, ihr beiden«, sagte Dolly. »Und dann werfe ich euch raus. Ich hab nämlich Besseres zu tun als über geschwätzige Haushälterinnen zu reden.«

Gehorsam griffen Alma und Henriette nach ihren Gläsern. Im selben Moment machte die Weiße einen Satz und landete zwischen den Kaffeetassen.

Alma stieß einen spitzen Schrei aus.

»Nimm die Katze vom Tisch, Dolly!«, kreischte sie. »Oh, oh, nimm sie weg!«

Emma presste sich die Hände auf den Mund, um nicht laut loszulachen.

»Na, nun krieg mal nicht gleich einen Herzanfall, Alma«, sagte Dolly. »Die Kleine ist noch ganz neu hier, die kennt die Spielregeln noch nicht. Los, Weiße, ab mit dir. Das Milchkännchen ist nichts für dich.«

Die dicke Henriette erstickte fast an ihrem Gluckslachen.

»Also, Dolly!«, schnaufte sie. »Das kann man wirklich sagen, bei dir ist immer was los.«

»Eben«, sagte Dolly. »Alma, beruhige dich jetzt, ja? Es ist nichts passiert.«

»Oh, diese ganzen Tiere machen mich wirklich und wahrhaftig wahnsinnig!«, stöhnte Alma. »Hach, jetzt ist mir ein Wellensittich in die Haare geflogen.«

»Er ist schon wieder weg«, sagte Dolly. »Die Vögel müssen doch auch mal fliegen.«

Alma ordnete hektisch ihre Dauerwelle. Emma stand auf und sah nach draußen. »Ich geh noch ein bisschen zu den Pferden, ja? Und danach häng ich Zettel auf beim Bäcker und an der Kirche.«

Dolly nickte. »Gib Henriette auch gleich welche mit. Das ganze Dorf trifft sich in ihrem Laden.«

»O Gott, bei dem Wetter lässt du das Kind nach draußen?« Entsetzt guckte Alma Emma an. »Soll sie sich den Tod holen?«

»Alma, sie ist nicht aus Zucker!«, seufzte Dolly.

Aber da war Emma schon draußen.

Fünf Tage später kam der Alligator.

Dolly und Emma waren gerade auf der großen Koppel und erneuerten das Wasser in der Tränke, einer alten Badewanne, die Dolly schon vor Jahren ausrangiert hatte. Mississippi und Aldo standen einträchtig nebeneinander und sahen zu. Seit drei Tagen waren sie zusammen auf der Koppel, und sie vertrugen sich prächtig.

Nicht mal Zottel bellte, als Albert Gansmann Dollys Tor öffnete. Der Alligator warf nur eine Hand voll Hundebrekkies auf den Hof und schon folgten ihm drei schwanzwedelnde neue Freunde über Dollys Grundstück.

So bemerkten Emma und Dolly den Ankömmling erst, als er sich über den Koppelzaun lehnte.

»Hallo, Frau Blumentritt«, sagte er.

Emma ließ bei seinem Anblick vor Schreck fast den Eimer fallen. Der Besuch konnte nichts Gutes bedeuten.

Dolly dachte wohl dasselbe. Misstrauisch musterte sie den unerwarteten Gast.

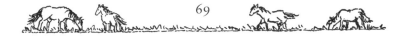

»Na, wenn das keine Überraschung ist«, sagte sie und wischte sich die nassen Hände an den Hosenbeinen ab. »Was treibt Sie denn hierher? Ich dachte, Sie wollten schnell wieder in die Stadt?«

»Wollte ich auch«, antwortete Albert Gansmann. »Aber es gab da doch noch einiges zu regeln. Mein Onkel hat eine ziemliche Unordnung hinterlassen. Außerdem macht mein Auto Ärger. Ich musste es vor ein paar Tagen zu Proske bringen. Aber er hat die Ersatzteile noch nicht bekommen. Schließlich ist der Wagentyp in dieser Gegend ja auch nicht sehr verbreitet.« Da war es wieder, sein Krokodilslächeln. Er schob Zottels schnuppernde Schnauze zur Seite und sah sich um. »Ein schönes Grundstück haben Sie. Da könnte man was draus machen.«

Mississippi und Aldo standen am Waldrand und grasten. Zwischen ihnen reckten die Ziegen die Hälse, um die Blätter von den Zweigen zu fressen.

»Ich mach schon was draus, wie Sie sehen«, sagte Dolly. »Aber jetzt kommen Sie bitte zur Sache. Was führt Sie her?«

Gansmann scheuchte eine Fliege von seinem Anzug und betrachtete interessiert seine Manschettenknöpfe. »Es wird Ihnen seltsam vorkommen. Ich bin hier, um Mississippi zurückzukaufen.«

Emmas Herz fing an zu klopfen wie ein wild gewordenes kleines Tier.

»Ach ja?«, sagte Dolly. »Wieso das denn?«

»Ach, wissen Sie«, Albert Gansmann stellte einen blank geputzten Schuh auf den Koppelzaun. Emma hätte am liebsten drauf gespuckt. »Ich habe da wirklich einen dummen Fehler gemacht. Ich meine, ich bin es meinem verstorbenen Onkel einfach schuldig, mich um die Stute zu kümmern. Er hat so an Mississippi gehangen, er würde es bestimmt nicht gerne sehen, dass sie in fremde Hände kommt.«

Einen Moment lang sagte Dolly nichts. Sie guckte Gansmann nur mit einem ganz, ganz kleinen Lächeln an. »Mississippi geht es gut«, sagte sie schließlich. »Davon können Sie sich gern überzeugen und ich glaube, dass Ihrem Onkel das das Wichtigste wäre.«

»Nun, ich bezweifle nicht, dass Sie sie gut behandeln. Aber darum geht es hier nicht.« Der Alligator guckte auf seine Schuhspitzen, als gäbe es da wunder weiß was zu entdecken.

»Und worum geht es dann?«, fragte Dolly. »Sie wollen mir doch nicht ernsthaft weismachen, dass Ihr Gewissen Sie quält. Klipperbusch war nicht mal sicher, ob Sie so was haben.«

Gansmann guckte immer noch auf seine Schuhe. Als er den Kopf hob, grinste er. »Schon gut, ich verstehe. Sie wollen handeln. Würde ich nicht anders machen.« Er sah auf seine Uhr. »Ich biete Ihnen dreihundert Mark. Das ist doch ein gutes Geschäft, oder?«

Emma sah ängstlich zu Dolly hinüber. Aber die lachte nur. Schallend laut.

»Stimmt, das wär wirklich ein gutes Geschäft«, sagte sie, »aber ich kann Ihnen das Pferd nicht zurückverkaufen.« Sie legte Emma den Arm um die Schultern. »Weil es nämlich meiner Enkelin gehört. Wenn Sie Mississippi haben wollen, dann müssen Sie schon mit ihr verhandeln.«

Der Alligator kniff die Augen zusammen.

Er räusperte sich. Als er wieder sprach, klang seine Stimme etwas ungeduldig. »Also gut. Du heißt Emma, nicht?«

Emma sah ihn feindselig an.

»Emma, verkaufst du mir das Pferd? Ich gebe dir vierhundert Mark. Eine Menge Geld für ein kleines Mädchen.«

Emma zuckte die Schultern. »Ist mir egal. Ich verkauf Mississippi nicht.«

»Das ist albern, absolut albern!« Albert Gansmann fuhr sich mit der Zunge über die Zähne und guckte zu Mississippi hinüber.

Als er wieder zu Emma sah, hatte er sein Krokodilslächeln auf den Lippen. Aber eine ziemlich blasse Version davon. »Jetzt überleg doch mal«, sagte er. »Du siehst doch nicht dumm aus. Für das Geld kannst du dir ein anderes, viel schöneres Pferd kaufen! Eins, mit dem du vor deinen Freunden angeben kannst. Guck dir die Stute doch bloß mal an.«

»Ich find sie hübsch«, sagte Emma.

Jemand schnaubte hinter ihr. Mississippi schob neugierig den Kopf über Emmas Schulter und knabberte an ihrem Pullover. Emma streichelte ihr zärtlich die Nase.

»Sehen Sie? Ich mag sie und sie mag mich. Sie ist auch überhaupt nicht bockig. Nur ein bisschen wild manchmal und an Pullovern knabbert sie gern. Aber sonst ...«

Aldo kam jetzt auch noch. Er ging auf den Zaun zu.

Schnell nahm Albert Gansmann seinen Fuß von der Zaunlatte und machte einen Schritt zurück.

»Aber es ist mein Pferd!«, brüllte er. »Und ich will es wiederhaben.«

»Warum denn?«, brüllte Emma zurück. So laut, dass Mississippi erschrocken den Kopf hochriss. »Sie mögen sie ja nicht mal!«

Darauf fiel dem Alligator keine Antwort ein. Er drehte sich um, ging ein paar Schritte, wobei er vor Wut fast über seine feinen Schuhe stolperte – und kam noch mal zurück.

»Ich mache ein letztes Angebot«, sagte er. »Fünfhundert Mark.« Er sah Dolly an. »Sagen Sie Ihrer dickköpfigen Enkelin, wie viel Geld das ist.«

Aber Dolly schüttelte nur den Kopf. »Ich misch mich da nicht ein. Das ist Emmas Angelegenheit.«

Albert Gansmann guckte Emma an. Mit dem düstersten Blick, den ihr je einer zugeworfen hatte. Ganz kalt wurde ihr davon.

»Also, was ist?«

Emma erwiderte seinen Blick. So finster sie konnte.

»Ich werd Ihnen Missi nie verkaufen«, sagte sie. »Nicht mal für hundert Millionen Mark. Da können Sie sich auf den Kopf stellen.«

Der Alligator starrte sie noch einen Moment lang an. Dann drehte er sich wortlos um, trat nach einem leeren Eimer, der im Gras stand, und stapfte davon.

»Wir sprechen uns noch!«, brüllte er, bevor er sich in sein Auto setzte.

Er fuhr mit heulendem Motor davon.

»Komm«, sagte Dolly zu Emma. »Wird Zeit, dass wir mit der Arbeit fertig werden.«

Sie kippten noch ein paar Eimer frisches Wasser in die Pferdetränke, gaben Aldo und Mississippi etwas Knoblauch zu knabbern, damit die Fliegen sie in Ruhe ließen, und machten sich dann schweigend auf den Weg zum Haus zurück.

»Emma«, Dolly seufzte. »Das Ganze riecht nach Ärger. Gansmann hat ganz bestimmt nicht sein schlechtes Gewissen hierher getrieben. Vielleicht ist da wirklich was mit Klipperbuschs Testament. Wenn ich bloß wüsste, was?«

Emma guckte ihre Großmutter besorgt an. »Aber ich konnte Mississippi dem Kerl doch nicht wiedergeben.«

»Natürlich nicht!«, sagte Dolly. »Mississippi gehört dir und damit basta. Nein, das hast du schon ganz richtig gemacht.

Aber Ärger wird es geben. Jede Wette. Weißt du was? Ich koch mir jetzt einen Kaffee und dir einen heißen Kakao und dann setzen wir uns ein bisschen unter den Walnussbaum und denken über die Sache nach. Einverstanden?«

Sie saßen noch keine Minute am Tisch, als Elsbeth Dockenfuß sich übers Tor lehnte. »Was wollte Klipperbuschs Neffe denn hier?«

Dolly seufzte.

»Elsbeth, du hast mir gerade noch gefehlt«, sagte sie. »Musst du nicht deinen Gehsteig fegen?«

»Nun sag schon«, Elsbeth Dockenfuß hob eine angefaulte Apfelkröse auf und warf sie mit spitzen Fingern in Dollys Mülltonne. »Was wollte er?«

Dolly seufzte. Es half nichts. Elsbeth blieb sowieso nichts verborgen. »Das Pferd zurückkaufen«, sagte sie. »Das wollte er. Zufrieden?«

»Das Pferd zurückkaufen?« Verblüfft sah Elsbeth Dockenfuß erst Dolly und dann Emma an. »Was soll das denn? Er konnte die Stute doch noch nie ausstehen.«

»Ja, siehst du, das fragen wir uns auch«, sagte Dolly. »Aber uns ist noch keine Antwort eingefallen. Hast du vielleicht eine Idee?«

»Er wollte sie doch zum Schlachter geben«, meinte Elsbeth. »Vielleicht will er das immer noch. Sie hat ihn nämlich mal

gebissen. Das weiß ich ganz genau, weil Klipperbusch es mir selber erzählt hat. Als er noch nicht tot war, natürlich.«
Dolly schüttelte den Kopf. »Würde ihm das fünfhundert Mark wert sein?«

»Fünfhundert Mark? Du lieber Himmel!« Elsbeth Dockenfuß wurde blass. »Fünfhundert Mark wollte er dir geben? Dein ganzer Zoo ist nicht so viel wert.«

»Eben.« Dolly rieb sich nachdenklich die Stirn. »Ich komm einfach nicht dahinter«, murmelte sie. »Komm, Emma, wir machen uns was zu essen.«

»Ach, Dolly, bevor ich es vergesse«, rief Elsbeth Dockenfuß ihnen nach, »deine Köter haben gestern wieder in meinen Rosenbeeten gebuddelt. Wenn ich die zwei noch einmal erwische, mach ich Rostbratwürstchen aus ihnen.«

»Wieso? Sei doch froh!«, rief Dolly über die Schulter zurück. »Dann musst du wenigstens nicht mehr umgraben, Elsbeth.«
Ihre Antwort hörten Emma und Dolly nicht mehr. Da hatten sie die Tür schon hinter sich zugemacht.

»Was willst du heute essen?«, fragte Emma am nächsten Morgen beim Frühstück. Wenn sie bei Dolly zu Besuch war, kochte sie fast jeden Tag. Sie kochte nämlich viel, viel besser als ihre Großmutter.

»Um Himmels willen, was für eine schreckliche Frage!«, seufzte Dolly. »Du weißt doch, dass ich mich nicht entscheiden kann. Überrasch mich einfach, ja?«

»Okay«, sagte Emma. »Ich glaub, ich weiß schon, was ich mach. Fahren wir heute einkaufen?«

Dolly nickte. »Das Katzenfutter ist schon wieder alle, ich muss Pferdefutter bestellen und Kaffee brauchen wir auch. Dringend!«

»Ich würd gern auch einen Film kaufen«, sagte Emma. »Damit ich Mississippi fotografieren kann. Du hast doch einen Fotoapparat, oder?«

Dolly zuckte die Schultern. »Ja. Ich weiß zwar nicht, wo, aber ich hab einen. He, Tom und Jerry«, sie guckte unter den Tisch, wo die Hunde auf Frühstücksreste warteten.

»Heute nehmen wir Zottel mit, in Ordnung? Damit mein Teppich sich ein bisschen erholen kann. Ihr zwei könnt euch nützlich machen, während wir weg sind. Sucht den Fotoapparat, ja?«

Sie waren fast den ganzen Vormittag unterwegs. Als sie endlich alles hatten, was sie brauchten, war Dollys Kombi voll und ihr Portemonnaie fast leer.

»Du meine Güte!«, seufzte sie, als sie sich auf den Heimweg machten. »Setzen die die Preise eigentlich jeden Tag um zehn Pfennig rauf? Wenn das so weitergeht, muss ich die Katzen mit Gras und die Hunde mit Blättern füttern.«

Dolly fuhr so schnell die Landstraße entlang, dass Emma sich am Sitz festhielt. Mama nannte Dollys Fahrstil haarsträubend, Dolly sagte »sportlich« dazu. Aber heute übertrieb sie es wirklich.

»Kannst du vielleicht etwas langsamer fahren?«, fragte Emma. »Ich würd nämlich ganz gerne noch ein bisschen älter werden.«

»Oh, entschuldige!« Dolly nahm den Fuß vom Gaspedal. »Mir ist nur gerade eingefallen, dass Knapps bestimmt schon seit einer Viertelstunde vor der Haustür sitzt. Er hat mir versprochen heute die Hunde zu impfen. Du meine Güte, der wird sauer sein! Ich muss mir eine gute Ausrede einfallen lassen.«

Dolly fiel keine gute Ausrede ein. Emma auch nicht. Aber als sie endlich auf den Hof fuhren, war der Tierarzt weit und breit nicht zu sehen. Weder er noch sein Auto.

»O nein!«, stöhnte Dolly. »Er ist schon weg. So ein Mist!«
Gemeinsam schleppten sie Kisten voll Lebensmittel und Futter zur Haustür. Als Dolly aufschließen wollte, sprang die Tür von selber auf. »Bin ich jetzt schon völlig verkalkt?«, murmelte sie. »Ich hab doch abgeschlossen, oder?«

»Ich glaub schon«, sagte Emma. »Du schließt doch immer ab, weil Jerry die Tür aufmachen kann.«
Dolly schüttelte den Kopf, hob eine Kiste hoch – und stellte sie wieder hin. Zottel guckte fragend zu ihr hoch.

»Hast du das gehört?«, flüsterte sie.

»Was denn?« Erschrocken lugte Emma an Dolly vorbei den Flur hinunter. Aber sie konnte nichts Verdächtiges entdecken. Nur die Küchentür stand etwas offen.

»Die Kaffeemaschine!«, flüsterte Dolly. »Das Ding ist an!«
Dollys Kaffeemaschine machte einen Höllenlärm. Nichts anderes machte solche Geräusche.

»Also, vielleicht hab ich vergessen die Tür abzuschließen«, murmelte Dolly. »Aber die Hunde werden sich wohl kaum einen Kaffee brühen, oder?«
Emma schüttelte den Kopf.

»Du wartest hier.« Dolly machte einen entschlossenen Schritt über die Schwelle. »Komm, Zottel.«

Erschrocken hielt Emma sie an der Jacke fest.

»Bist du verrückt?«, zischte sie. »Du kannst doch da jetzt nicht reingehen. Ich lauf zu Proske rüber und ruf die Polizei an.«

»Ach was. Ich und Zottel machen das schon«, sagte Dolly. »Du bleibst da stehen.«

Sie schlich zur Garderobe, tastete auf der Hutablage herum und hielt triumphierend ihr Tränengasspray hoch.

Emma blieb fast das Herz stehen.

Die Kaffeemaschine gluckste immer noch vor sich hin.

Dolly nahm ihr Tränengas in die rechte Hand und machte einen Schritt auf die offene Küchentür zu. Zottel wartete schwanzwedelnd neben ihr. Das hielt Emma nicht aus. Wie der Blitz war sie hinter ihrer Großmutter.

Mit einem Ruck riss Dolly die Tür auf. »Keine Bewegung!«, rief sie. »Oder es gibt eine Ladung Tränengas ins Gesicht.«

»Dolly!«, rief Doktor Knapps und fuhr vom Stuhl hoch. »Was ist denn in dich gefahren?«

Zottel verschwand unter dem Küchentisch.

Entgeistert starrten Dolly und Emma den Tierarzt an.

»Wie kommst du denn hier rein?«, fragte Dolly, als sie die Sprache wieder gefunden hatte.

»Na, du bist gut!« Knapps ließ sich mit einem Seufzer zurück auf seinen Stuhl sinken. »Durch die Tür!«

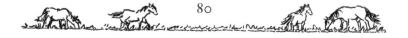

»Und dein Wagen?« Dolly hielt ihre Spraydose immer noch in der Hand. »Du kommst doch nie ohne Auto.«

»Das ist schon wieder bei Proske«, brummte der Doktor. »Geht ständig aus, das Mistding. Also hab ich es drüben in die Werkstatt gestellt und bin rübergekommen, um deine Hunde zu impfen. Hab mich gewundert, dass du nicht da bist. Aber als ich gemerkt habe, dass die Tür nicht abgeschlossen ist, bin ich rein und habe Tom und Jerry geimpft. Das war, verdammt noch mal, nicht einfach. Danach hab ich mir zur Belohnung einen Kaffee aufgesetzt und auf euch gewartet.« Er guckte unter den Tisch. »Du brauchst dich gar nicht zu verstecken, Zottel. Du kommst auch gleich dran.«

»Die Tür war offen?« Dolly sah sich in der Küche um.

»Natürlich!«, sagte Knapps.

»Also, ich hab sie nicht aufgelassen«, sagte Dolly.

Sie öffnete die Tür vom Küchenschrank, guckte hinein und machte sie wieder zu.

»Was?« Knapps guckte sie verdattert an. »Was soll das denn heißen?«

Dolly zog die volle Kanne aus der Kaffeemaschine, holte zwei Becher vom Regal und setzte sich zu Knapps an den Tisch. Emma stand immer noch in der Tür.

»Ich hatte dich vergessen«, sagte Dolly. »Tut mir leid. Ich bin auf der Rückfahrt gefahren wie ein Henker, um dich noch zu erwischen. Aber die Tür hatte ich abgeschlossen, da bin ich ganz sicher.«

»O Gott!« Knapps guckte sie ungläubig an. »Einbrecher? Hier? Was sollen die denn bei dir klauen? Trächtige Katzen und alte Hühner?«

Dolly zuckte die Schultern.

»Knapps, du weißt, ich bin nicht die Ordentlichste, aber ich seh, dass hier jemand in den Schränken und Schubladen rumgewühlt hat. Im Flur hat er die von der großen Kommode nicht mal richtig wieder zugemacht. Und ich nehme wohl kaum an, dass du das gewesen bist.«

Der Tierarzt starrte sprachlos in seinen Kaffee.

»Du lieber Himmel«, murmelte er. »Das heißt ja, ich hätte dem Kerl direkt in die Arme laufen können!« Er schluckte.

»Ach, die Hunde hätten dich schon beschützt«, sagte Dolly.

»Deine Hunde?« Knapps verzog das Gesicht. »Nicht mal gebellt haben die zwei, als ich reingekommen bin. Die haben gerade mal kurz gelangweilt aus der Wohnzimmertür geschielt. Und als sie gesehen haben, dass ich es bin, haben sie sich unterm Tisch versteckt. Rausziehen musste ich die Herren. Einen nach dem anderen, weil sie Angst vor einer kleinen Spritze hatten. Und danach haben sie sich schnell wieder verkrochen. Die sollen jemanden beschützen?«

»Stimmt, die besten Wachhunde sind sie wirklich nicht.« Emma ging zum Küchenfenster und guckte hinaus auf die

Koppel. Mississippi und Aldo grasten friedlich nebeneinander unter den Bäumen. Beruhigt drehte sie sich wieder um. »Ist denn was gestohlen worden?«, fragte sie.

Dolly zuckte die Achseln. »Kann ich noch nicht sagen. Mein Geld hatte ich mit zum Einkaufen. Und sonst gibt es hier wirklich nicht viel. Aber ich werd mich nachher mal in Ruhe umsehen. Knapps, wo wir hier gerade sitzen«, sie rührte in ihrem Kaffee herum, »weißt du irgendwas über das Testament von Klipperbusch?«

»Ich? Nein. Wieso?« Überrascht sah der Tierarzt sie an.

»Ach, Henriette und Alma waren vor ein paar Tagen hier und haben so komische Andeutungen gemacht«, sagte Dolly. »Dass Klipperbuschs Haushälterin rumerzählt, das Testament habe einen Haken. Ich hab mir nicht viel dabei gedacht, aber gestern taucht plötzlich sein Neffe hier auf und will Mississippi zurückkaufen.«

»Was?« Der Doktor kippte vor Überraschung fast mit dem Stuhl um.

»Ja, und als ich ›nein‹ gesagt hab, ist er richtig fies geworden«, sagte Emma.

»Hm.« Doktor Knapps knetete an seinem Ohrläppchen herum. »Das ist allerdings wirklich seltsam. Ich werd mich mal ein bisschen umhören. Klipperbuschs Haushälterin ist alle naselang mit ihrem Hund bei mir. Obwohl das Vieh kerngesund ist. Vielleicht erzählt sie mir ja auch, was sie

83

weiß. Tja«, er trank seinen Kaffee aus und stand auf. »Ich werd mal wieder. Aber vorher werf ich noch einen Blick auf Mississippi. Einverstanden, Emma?«

Emma sprang sofort auf. »Ja, gern«, sagte sie. »Ich komm mit.«

Doktor Knapps war sehr zufrieden mit Mississippi.

»Die Dame sieht ja mindestens fünf Jahre jünger aus, seit sie bei dir ist«, sagte er zu Emma. »Tust du ihr irgendein Wundermittel ins Futter?«

Emma schüttelte verlegen den Kopf. »Ich geb ihr ab und zu ein bisschen Knoblauch gegen die Fliegen. Karotten kriegt sie jede Menge und jeden Tag mach ich einen kleinen Abendspaziergang mit ihr.«

»Wunderbar.« Der Tierarzt tätschelte der Stute den Hals. Mississippi drehte den Kopf und versuchte an seinem Pullover zu knabbern. »Aha!« Knapps machte lachend einen Schritt zurück. »Das versuchst du also immer noch, was? Wie lange steht sie im Stall?«

»Och«, Emma zuckte die Schultern, »eigentlich ist sie immer draußen. Nachts bring ich sie meistens in den Stall, vor allem, seit Klipperbuschs Neffe da war. Aber morgens kommen die beiden immer ganz früh wieder auf die Koppel. Sogar bei Regen. Dolly sagt, das tut ihnen gut.«

»Stimmt.« Knapps nickte. »Die meisten Pferde stehen viel

zu lange im Stall. Der alte Klipperbusch hat Mississippi manchmal nur zum Reiten aus der Box geholt. Oder wenn sie ihm im Haus beim Kaffee Gesellschaft leisten sollte. Ich hab ihm immer wieder gesagt, dass sie frische Luft braucht und Pferdegesellschaft, aber davon wollte er nichts hören. ›Von der frischen Luft kriegt sie Schnupfen‹, hat er geraunzt, ›und meine Gesellschaft reicht ihr vollkommen.‹ Er war vernarrt in die Stute, aber von Pferden hatte er keine Ahnung. Außerdem war er ein furchtbarer Sturkopf.«

Emma sah hinaus auf die Koppel, wo Aldo und Mississippi einträchtig nebeneinander grasten.

»Ich hab furchtbare Angst, dass ich sie nicht behalten kann«, sagte sie leise.

»Ach was!« Doktor Knapps legte ihr seinen langen Arm um die Schultern. »Du darfst sie bestimmt behalten. Dieses ganze Gerede über das Testament ist nichts als Dorftratsch. Hier passiert nicht allzu viel, über das die Leute reden können. Da wird dann auch schon mal ein bisschen was erfunden, um das Leben interessant zu machen. Mach dir keine Sorgen, ja?«

Emma nickte.

»Ich habe gehört, ihr zieht um, du und deine Eltern? Hast du dann einen weiteren Weg hierher?«

»Nein.« Emma schüttelte den Kopf. »Es ist sogar etwas näher.«

»Na, das ist doch wunderbar«, sagte Doktor Knapps. »Da kannst du dann ja vielleicht sogar mal am Wochenende kommen.«

»Mach ich bestimmt«, sagte Emma und fühlte sich gleich ein bisschen besser.

»Einbrecher?«, sagte Max. »Mann, das ist ja ein Ding. So was ist bei uns leider noch nie passiert.«

»Und was ist geklaut worden?«, fragte Leo.

»Nichts!«, sagte Emma. »Das ist ja das Komische.«

Die Nachmittagssonne stand hoch am Himmel und die drei saßen am Dorfteich und warfen Steine in das trübe Wasser.

»Da steckt der Alligator hinter«, sagte Max. »Jede Wette. Der ist sauer, dass du ihm das Pferd nicht wiedergibst. Vielleicht war das so 'ne Art Rache.«

»So 'n Blödsinn!« Leo schüttelte den Kopf. »Dann hätte er doch alles kurz und klein geschlagen, oder? Nee. Dolly hat vergessen die Tür abzuschließen, das ist alles. Ihre Schubladen und Schränke sehen doch immer so aus, als ob sie einer durchwühlt hat.«

»Aber die Hundebrekkies!«, meinte Emma. »Im Mülleimer lag eine leere Tüte und die Sorte hat Dolly noch nie gekauft.«

»Na bitte, Herr Superschlau, das ist doch der Beweis!« Max

schnippte seinem Bruder die Finger gegen die Nase. »Jeder im Dorf weiß, dass Dollys Hunde keinen Mucks machen, wenn man ihnen was zu fressen gibt.«

Aber Leo schüttelte den Kopf. »Der Alligator weiß das bestimmt nicht. Außerdem, was soll er gewollt haben in Dollys Haus?«

Darauf wussten die anderen beiden auch keine Antwort.

»Mann, du bist so logisch!«, murmelte Max. »Das kann einen wirklich verrückt machen. Hat die alte Elsbeth denn nichts gesehen? Die hat ihre Augen und Ohren doch sonst ständig überm Zaun.«

»Nein.« Emma seufzte. »Die war bei ihrer Schwester.« Sie rupfte ein Löwenzahnblatt ab und kaute nachdenklich darauf herum. Eine ganze Weile tat sie das. Dann stand sie plötzlich auf und klopfte sich das Gras von der Hose. »Ich reite hin«, sagte sie. »Mit Aldo.«

Erstaunt guckten die Jungen sie an.

»Wo reitest du hin?«, fragte Max.

»Zu Klipperbuschs Haus«, sagte Emma. »Der Alligator hat was vor. Ganz bestimmt. Er ist ganz wild darauf, Mississippi wiederzukriegen. Keine Ahnung, warum, aber ich wette, er hat mit diesem komischen Einbruch zu tun. Und ich werde rauskriegen, was das Ganze sollte. Deshalb reite ich hin.« Sie drehte sich um und lief zu Dollys Haus zurück. Die Jungen rannten ihr nach.

»He, warte doch mal!«, rief Max.

Aber Emma blieb nicht stehen. Sie kletterte übers Tor, lief am Haus vorbei und holte Aldos Zaumzeug aus dem Stall. Einen Sattel brauchte sie nicht. Dolly hatte ihr das Reiten ohne Sattel auf dem Wallach beigebracht.

Als Emma das Gatter der Koppel öffnete, hoben Mississippi und Aldo überrascht die Köpfe. Die Ziegen trippelten meckernd auf Emma zu, bis sich die Seile spannten, mit denen sie angepflockt waren.

»Nein, tut mir leid, für euch hab ich jetzt nichts«, sagte Emma und lief an ihnen vorbei.

»Was willst du ihn denn fragen?«, rief Max ihr über den Zaun nach. »He, Herr Alligator, haben Sie bei meiner Großmutter eingebrochen?«

Emma antwortete nicht. Aldo und Mississippi trotteten ihr neugierig entgegen. Sanft schob Emma Missis schnuppernde Schnauze zur Seite und versuchte dem Wallach das Zaumzeug überzustreifen. Erst zog Aldo den Kopf zurück, als sie ihm die Trense ins Maul schieben wollte. Aber dann erinnerte er sich wohl daran, dass das unangenehme Ding »ausreiten« bedeutet, und ließ sich das Zaumzeug lammfromm anlegen. Mississippi guckte interessiert zu.

»Aldo kommt gleich wieder, Missi«, sagte Emma, »er muss mich nur mal kurz wo hinbringen. Irgendwann reiten wir auch mal aus, ja? Wenn du Lust hast.«

Als sie Aldo von der Weide führte, folgte die Stute ihnen bis zum Gatter.

»Halt mal!« Emma drückte Leo die Zügel in die Hand, schloss das Tor und ging noch mal zu Mississippi. Beunruhigt streckte die Stute den Hals über den Zaun. »Ist ja gut«, sagte Emma, streichelte sie und zupfte ihr eine Klette aus der Mähne. »Wir sind bald zurück. Heiliges Ehrenwort.«

»Max hat Recht, Emma«, sagte Leo. »Es ist Blödsinn zu Klipperbuschs Haus zu reiten. Was willst du da?«

»Spionieren«, antwortete Emma. Sie nahm dem sprachlosen Leo die Zügel aus der Hand und schwang sich auf Aldos Rücken. »Ich krieg schon raus, was hier los ist. Max, lass die Zügel los, verdammt noch mal.«

»Tu ich nicht«, sagte Max. »Außer, du nimmst uns mit.«

Emma seufzte. »Na gut. Aber nur einen. Aldo kann nicht drei von uns schleppen. Wer soll's sein?«

Die beiden Brüder guckten sich an.

»Wir losen«, sagte Leo und er gewann.

Max hätte vor Wut fast die Münze verschluckt, obwohl er nur sehr ungern auf ein Pferd stieg.

»Sag Dolly, ich mach mit Aldo und Leo einen kleinen Ausflug«, trug Emma ihm auf. »Erzähl ihr aber bloß nicht, was ich vorhabe? Klar?«

»Klar«, brummte Max. »Ich bin ja nicht blöd.«

»Und kümmer dich ein bisschen um Missi«, sagte Emma,

als sie aus dem Tor ritt. »Ich glaub, sie macht sich Sorgen.«

»Ja, ja, ich werd ihr Händchen halten«, brummte Max. Dann guckte er neidisch Emma und seinem Bruder nach.

Aldo war nicht der Schnellste. Er blieb jedes Mal stehen, wenn ein Auto vorbeifuhr, und trottete erst weiter, wenn es um die nächste Ecke verschwunden war. Aber zum Glück fuhren nicht viele Autos die Straße zu Klipperbuschs Haus entlang und der Weg schien Emma kürzer als an dem Morgen, an dem sie Mississippi abgeholt hatten.

Sie banden Aldo in dem Wäldchen hinter Klipperbuschs Ställen an, gaben ihm noch ein paar Möhren zu knabbern und pirschten sich dann an das große, dunkle Haus heran.

Diesmal parkten zwei Autos auf dem Hof – der Prachtschlitten des Alligators und eine alte Rostlaube.

»Ich werd verrückt!«, flüsterte Leo, als sie an den beiden Autos vorbeischlichen. »Das ist doch das Auto von Hinnerk.« Emma wollte zu der Eingangstür, die sie auch mit Dolly benutzt hatte, aber Leo zog sie zu einer schmalen Tür an der Rückseite des Hauses.

»Das ist der Kücheneingang!«, flüsterte er. »Ich hab dem alten Klipperbusch manchmal sein Brot gebracht und da hat seine Haushälterin mich immer hierher gelotst.«

Die Küche war leer und so verstaubt, als hätte darin seit Jah-

ren niemand mehr gekocht. Nur der Kühlschrank brummte vor sich hin, in der Spüle lagen alte Kaffeefilter und zwei leere Weißweinflaschen und auf dem Tisch stapelten sich ölige Pizzakartons.

Leo wusste wirklich gut Bescheid im Klipperbusch-Haus. Ohne zu zögern führte er Emma über lange Flure und eine steile Treppe ins Obergeschoss.

»Klipperbusch hat mir immer erlaubt hier ein bisschen rumzustöbern«, flüsterte er Emma zu. »Manchmal hat er mit mir ›Tom Sawyer auf Schatzsuche‹ gespielt. Hat eine Zigarrenschachtel mit Fünfmarkstücken irgendwo im Haus versteckt und ich musste sie suchen. Manchmal hab ich den ganzen Nachmittag gebraucht und Klipperbusch hat sich köstlich amüsiert. Behalten durfte ich das Geld leider nie.«

Leo legte sein Ohr an eine Tür, öffnete sie einen Spaltbreit und lugte vorsichtig hindurch. »Das Wohnzimmer«, flüsterte er. »Komm.« Er betrat den großen Raum und winkte Emma hinter sich her. Bisher war es im ganzen Haus totenstill gewesen, aber hier hörten sie plötzlich Stimmen. Sie kamen aus dem Nachbarzimmer.

Die eine erkannte Emma sofort. Es war die vom Alligator. Dann erkannte sie auch die andere. Leo hatte Recht gehabt. Hinnerk, der Lehrling von Proske, war beim Alligator.

»Sie sind da drüben«, flüsterte Leo. »In Klipperbuschs Bücherzimmer.«

Vorsichtig schlichen sie auf die Tür zu. Sie war nur ange-
lehnt. Emma nahm allen Mut zusammen und lugte durch
den schmalen Spalt. Leo bückte sich und linste unter ihrem
Arm hindurch.

Da standen die zwei. Der Alligator rauchte eine Zigarette
und Hinnerk scharwenzelte um ihn herum wie ein kleiner,
magerer Hund.

»Also, dich hat ganz bestimmt keiner gesehen?«, fragte der
Alligator. »Auch der Doktor nicht?«

»Ach, der!« Hinnerk hob wegwerfend die Hand. »Der ist
immer so in Gedanken, der würde 'n Elefanten übersehen,
wenn er nicht gerade reinstolpern täte. War natürlich Pech,
dass er gerade durchs Tor stiefelte, als ich aus dem Haus
komm. Aber ich, schnell, wie ich bin, duck mich hinter die
Regentonne und der Doktor latscht an mir vorbei. War
wirklich kein Problem.« Er kicherte. »Als er nachher sein
Auto bei uns abgeholt hat, hat er mir dann lang und breit erzählt, dass bei Dolly Blumentritt einer eingebrochen hat.«
Klipperbuschs Neffe nickte zufrieden und aschte auf den
Teppich. Dann streckte er die Hand aus.

»Gut, dann gib das Ding mal her.«
Hinnerk fummelte am Reißverschluss seiner Jacke herum.
»Moment!«, brummte er. »Der klemmt immer.«
Albert Gansmann schnippte ungeduldig mit den Fingern.
»Na, nun mach schon.«

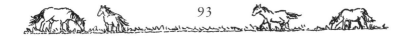

»Ja, ja!« Hinnerk zerrte, bis der Reißverschluss aufging. »Ist nicht so 'ne teure Jacke wie Ihre.«

Er zog einen zusammengefalteten Zettel aus der Innentasche und gab ihn dem Alligator. »Musste reichlich lange nach dem Ding suchen, wissen Sie. Dolly ist nicht gerade die Ordentlichste. Hab den Zettel schließlich an ihrem Pinnbrett in der Küche gefunden.«

Emma wusste nur zu gut, was das war. Der Kaufvertrag für Mississippi. Warum waren sie darauf nicht gekommen?

»Wunderbar!« Albert Gansmann klopfte Hinnerk auf die schmale Schulter. Dann holte er ein Feuerzeug aus der Tasche und hielt die Flamme an den Zettel.

»So!« Zufrieden sah er zu, wie die verkohlten Reste des Kaufvertrags auf dem Teppich landeten. »Damit gehört die Stute wieder mir. Ich freue mich jetzt schon auf das dumme Gesicht von dieser sturen Kleinen. Was für ein Pech aber auch! Kein Pferd mehr und kein Geld, um sich ein neues zu kaufen.«

Gansmann trat die letzten glimmenden Fetzen mit seinen blank polierten Schuhen aus.

Leo stöhnte leise. Emma legte den Finger auf die Lippen – und stieß dabei mit dem Ellbogen gegen die Tür.

Hinnerk und der Alligator guckten sich um.

Erschrocken wichen Emma und Leo von der offenen Tür zurück.

»Hast du das gehört?«, fragte der Alligator.

In dem Moment trat Leo auf eine knarrende Holzdiele.

Mit ein paar Schritten war Albert Gansmann an der Tür. Er stieß sie auf – und blickte in einen leeren Raum. Emma lag unter Klipperbuschs dickem Sofa und Leo hatte sich in letzter Sekunde hinterm Vorhang versteckt.

»Da war doch was!«, knurrte der Alligator. »Los, Hinnerk, durchsuch das Zimmer.«

»Ich?« Zögernd kam Hinnerk durch die Tür. »Wieso ich denn? Ich hab meine Arbeit gemacht. Geben Sie mir das Geld und schon bin ich weg.«

»Such!«, schnauzte der Alligator ihn an. »Wenn uns jemand belauscht hat, dann hängst du mit drin.«

Emma kriegte kaum Luft, so platt musste sie liegen, um überhaupt in ihr Versteck zu passen. Die ausgeleierten Metallfedern der Sofapolsterung bohrten sich in ihren Rücken. Trotzdem schob sie vorsichtig den Kopf ein bisschen vor. Viel mehr als die Schuhe von Hinnerk und dem Alligator konnte sie zwar so auch nicht sehen, aber das war immer noch besser als nichts.

»Na gut«, brummte Hinnerk. »Wo soll ich anfangen?«

»Wo du willst, Dummkopf«, sagte der Alligator. »Hauptsache, du fängst endlich an. Ich behalte die Tür im Auge.«

Hinnerk murmelte irgendwas Unverständliches vor sich hin, drehte sich um – und kam auf das Sofa zu.

Emmas Herz hämmerte. Was nun? Verzweifelt rutschte sie, so weit es ging, nach hinten.

Da hörte sie plötzlich Leos Stimme.

»Hallo, Hinnerk!«, sagte er. »Was machst du denn hier?«

Emma hätte vor Schreck fast geschrien, aber sie schaffte es gerade noch, sich auf die Lippen zu beißen. Mit angehaltenem Atem schob sie sich so weit vor, dass sie Leos Turnschuhe sah. Direkt vor dem Sofa – so nah, dass sie sie hätte berühren können, wenn sie nur die Hand ausgestreckt hätte. Ein paar endlose Momente lang war es totenstill.

Dann sagte der Alligator mit gefährlich ruhiger Stimme: »Das frag ich dich, Bürschchen.« Seine blank geputzten Schuhe machten einen Schritt auf Leo zu. »Was machst du in meinem Haus? Hinnerk, halt ihn fest.«

»Das ist nur Leo!«, hörte Emma Hinnerk sagen. »Der Sohn vom Bäcker.«

»Also, was machst du hier?«, fuhr der Alligator Leo an. »Das ist Hausfriedensbruch. Weißt du das?«

»Ich bin hier wegen 'ner Wette!«, antwortete Leo. Ihm fielen immer in Sekundenschnelle Ausreden ein.

»Was für eine Wette?«, fragte Gansmann.

»He!« Leo trat Hinnerk auf den Fuß. »Nimm endlich deine Schmierfinger weg. Ich hab gar nicht vor wegzulaufen!«

»Das solltest du auch besser nicht versuchen«, sagte der

Alligator. »Ich hätte wirklich große Lust dich der Polizei zu übergeben.«

Das tust du bestimmt nicht, du Mistkerl, dachte Emma. Die Polizei ist bestimmt das Letzte, was du hier haben willst. Das wusste Leo auch.

»Mensch, ich hab doch bloß mit meinem Bruder gewettet«, sagte Leo. »Dass ich mich hier reintrau, obwohl Sie da sind. Mein Bruder ist ein Angeber und ich wollte es ihm zeigen.«

»Sein Bruder ist wirklich ein Angeber«, sagte Hinnerk.

»Ach ja?« Der Alligator klang immer noch misstrauisch. »Und wie wolltest du beweisen, dass du dich reingetraut hast? Steht dein feiner Bruder draußen und beobachtet uns?«

»Quatsch!« Leo trat nervös von einem Fuß auf den anderen. »Der würde sich nicht mal auf den Hof trauen. Wegen Klipperbuschs Geist, wissen Sie. Nee, ich sollte zum Beweis einen von Klipperbuschs Kugelschreibern mitbringen. So einen mit seinem Namen drauf. Überall liegen die Dinger hier rum. Hier, ich hab schon einen eingesteckt. Sehen Sie?«

Emma konnte es kaum fassen. Wie konnte man nur so geschickt Lügen zusammenbasteln?

»Tatsächlich!« Hinnerk hörte sich richtig erleichtert an. »Er hat einen. Na, da können wir ihn doch laufen lassen, oder?«

»Hm!« Der Alligator war offenbar noch nicht ganz überzeugt. Emmas Nase fing an zu kitzeln. Schnell hielt sie sie zu. »Schnüffeln hier etwa noch andere von deiner Sorte rum?« Das war wieder der Alligator.

»Nein! Ehrlich!« Leo klang wie die Wahrheit selber. »Nicht, dass ich wüsste. Kann ich jetzt gehen?«

Wieder blieb es einen Moment lang still.

»Wie lange warst du hier im Zimmer?«, knurrte Albert Gansmann. »Hast du uns belauscht?«

»Wieso soll ich Sie denn belauscht haben?«, fragte Leo. »Ich hab plötzlich Stimmen gehört und gedacht, das ist das Gespenst vom alten Klipperbusch. Mann, da hab ich mich natürlich sofort versteckt. Hätten Sie doch wohl auch gemacht, oder?«

»Kann sein.« Der Alligator machte noch einen Schritt auf Leo zu. Ganz dicht stand er jetzt vor ihm. »Aber das sage ich dir: Wenn du doch was gehört hast, vergiss es. Ganz schnell, verstanden?«

»Ich hab nichts gehört!«, sagte Leo. »Ehrenwort. Ich war so schnell wie der Blitz hinterm Vorhang.«

»Gut für dich.« Albert Gansmann machte wieder einen Schritt zurück. »Trotzdem. Hinnerk wird dich in nächster Zeit im Auge behalten. Vorsichtshalber. Nicht wahr, Hinnerk?«

»Ja, ja!«, brummte Hinnerk.

Sehr begeistert klang das nicht.

»Bring das Bürschchen nach draußen«, sagte der Alligator.

»Und gib ihm noch einen kräftigen Tritt in den Hintern, damit er schnell wieder nach Hause findet.«

Hinnerk verschwand mit Leo nach draußen und Emma blieb mit dem Alligator allein.

Ihr linker Arm juckte zum Verrücktwerden, aber sie wagte nicht sich zu kratzen. Stocksteif lag sie da. Der staubige Teppich kitzelte sie an der Nase. Sie hörte, wie der Alligator sich eine Zigarette anzündete. Dann kamen seine Schuhe näher und er setzte sich aufs Sofa.

Emma biss die Zähne zusammen, als die Polsterfedern sich noch fester gegen ihren Rücken drückten. Aber sie gab keinen Laut von sich. Ihr würde der Alligator niemals glauben, dass sie wegen einer Wette hier war.

Der Alligator schlug die Beine übereinander. Zigarettenasche fiel auf den Teppich.

Wenn ich hier noch viel länger liegen muss, dachte Emma, dann werd ich verrückt. Total verrückt.

Da kam Hinnerk wieder. Ohne Leo.

»Was jetzt?«, fragte er. »Krieg ich nun mein Geld?«

»Ich hab's im Wagen«, sagte der Alligator und stand auf. Erleichtert schnappte Emma nach Luft.

»Wie geht's denn jetzt weiter?«, fragte Hinnerk. Die beiden gingen auf die Tür zu.

»Mein Anwalt wartet schon am Bahnhof«, sagte Gansmann. »Ich hol ihn ab und dann besuchen wir die Dackel-

Dolly. Heute Abend steht das Pferd wieder bei mir im Stall.«

»Na, dann viel Spaß«, sagte Hinnerk. »Das wird Dolly gar nicht gefallen.«

Der Alligator lachte. »Sie kann gar nichts machen. Und das Schönste ist: Sie wird denken, dass sie den Vertrag selber verschlampt hat.«

Dann waren die beiden verschwunden. Emma hörte sie die Treppe runtergehen, aber aus ihrem Versteck traute sie sich erst, als unten auf dem Hof die Motoren ansprangen.

Mit juckender Nase und schmerzendem Rücken kroch sie unter dem Sofa hervor und dann rannte sie, so schnell sie konnte, aus dem scheußlichen Haus, über den leeren Hof, hin zu Aldo.

Leo wartete schon auf sie.

Er saß neben Aldo im Gras und schnitzte mit seinem Taschenmesser an einem Stück Holz herum. Emma lief auf ihn zu und gab ihm einen Kuss. Einen ganz dicken.

»Danke!«, sagte sie. »Danke, dass du mich vor dem Alligator gerettet hast. Das war das Tollste, was jemals einer für mich gemacht hat.«

Leo schnitt sich fast in den Finger und wurde rot wie Klatschmohn. »Ach, keine Ursache«, murmelte er. »War doch selbstverständlich.«

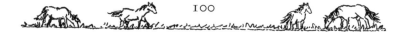

»Selbstverständlich? Hast du das gehört, Aldo?« Emma nahm Leos Hand und zog ihn hoch. »Wie ein Held hast du das gemacht. Wie 'n echter Held! Nie hätte ich mich das getraut. Nicht in tausend Jahren. Ich dachte, mir rutscht das Herz in die Füße. Wenn der Kerl mich gesehen hätte, also ...«

Bei der Vorstellung verschlug es Emma noch im Nachhinein die Sprache.

»Na, eben!« Leo zuckte die Achseln und steckte sein Messer weg. »Dich durfte er nicht sehen. Dich hätte er nicht so leicht laufen lassen.«

»Weißt du was?« Emma schubste ihn auf Aldo zu. »Dein Bruder würde hundert Jahre mit so was angeben. Und du tust so, als ob du dich dafür schämen müsstest. Los, steig auf. Wir müssen zurück. Bevor der Kerl Mississippi holt.«

Sie griff in Aldos Mähne und schwang sich auf seinen Rücken. Leo zog sich an ihr hoch und setzte sich hinter sie.

»Aber du kannst nichts dagegen machen«, sagte er. »Er wird einfach sagen, dass er Mississippi nur kurz bei Dolly in Pflege gegeben hat. Jetzt, wo du den Kaufvertrag nicht mehr hast.«

»Tja, Pech, ich hab ihn aber noch«, antwortete Emma.

Sie ritten auf die Straße zu.

»Los, Dicker!«, rief Emma und trieb den Wallach an. »Schneller, sonst ist deine Freundin Missi bald Hundefutter.«

Aldo spitzte die Ohren und legte einen Schritt zu.

»Was? Jetzt versteh ich gar nichts mehr!«, stöhnte Leo. »Was hat der Alligator denn dann gerade verbrannt?«

»Den Kaufvertrag«, sagte Emma. »Aber ich hab 'ne Kopie.«

Als Aldo endlich durch Dollys Tor trottete, stand der Wagen von Albert Gansmann schon davor. Mit einem Pferde-anhänger dran.

Emma und Leo sprangen von Aldos Rücken.

»He, wie ist es gelaufen?«, rief Max ihnen entgegen. »Ihr glaubt gar nicht, was hier für ein Ärger ist.«

»Wissen wir!«, sagte Emma und drückte ihm Aldos Zügel in die Hand. »Hier, bring ihn auf die Koppel, ja? Leo, sag Dolly, dass ich gleich komme und dass sie Mississippi nicht gehen lassen soll, okay?«

Leo nickte. Max guckte verdattert von einem zum andern. »Na, nun sagt schon! Was war los?«, fragte er. »Was habt ihr rausgekriegt?«

Aber Emma rannte schon zum Haus.

Sie polterte die Treppe rauf in ihr Zimmer, zerrte den Ruck-sack aus dem Schrank und fischte die Kopie heraus.

Als sie völlig außer Atem zur Pferdekoppel kam, wollte der Alligator Mississippi gerade am Halfter von der Weide zie-hen. Die Stute schüttelte den Kopf, schnaubte und guckte sich unruhig um, während Dolly auf einen kleinen, dicken

Mann mit Brille einredete und dabei mit einer Mistgabel herumfuchtelte.

Max und Leo hatten Aldo quer gestellt und blockierten dem Alligator so den Weg.

»Halt!«, rief Emma. »Halt, das ist mein Pferd!«

Sie schlüpfte an Aldo vorbei und lief auf Dolly und den kleinen Mann zu. Überrascht guckten sich alle nach ihr um. Mississippi schnaubte und zerrte so heftig am Halfter, dass Albert Gansmann sie kaum halten konnte.

»Ich hab eine Kopie!«, rief Emma. »Ich hab eine Kopie vom Kaufvertrag.«

Ganz still war es da plötzlich. Nur die Pferde schnaubten und traten unruhig auf der Stelle.

Der Alligator guckte sie an, als wollte er sie auf der Stelle fressen.

Der kleine Mann rückte nervös seine Brille zurecht. »Kann ich die Kopie bitte mal sehen?«, fragte er.

Emma reichte ihm zögernd das wertvolle Blatt Papier. Mit gerunzelter Stirn las der Mann den Kaufvertrag, studierte die Unterschrift und gab Emma den Zettel zurück. »Entschuldigen Sie«, murmelte er. Dann ging er hastig zu Albert Gansmann hinüber und redete auf ihn ein.

Er sah ziemlich ärgerlich aus.

»Das ist der Anwalt von Klipperbuschs Neffen«, raunte Dolly Emma zu. »Vor einer Viertelstunde sind die beiden

hier aufgetaucht und wollten den Kaufvertrag von Mississippi sehen. Und weißt du was?«

»Er war weg«, sagte Emma.

»Genau!« Überrascht guckte Dolly sie an. »Woher wusstest du das? Ich muss ihn verlegt haben. Wie eine Verrückte habe ich gesucht, während dieser Mistkerl schon das Halfter holte. Zum Glück hat Mississippi sich nicht leicht einfangen lassen. Sonst wären sie schon mit ihr weg.«

»Du hast ihn nicht verlegt«, unterbrach Emma sie.

Der Anwalt und der Alligator diskutierten immer noch miteinander, während Mississippi an ihrem Halfter zerrte, hin und her tänzelte und zu Emma rübersah.

»Was?« Dolly fasste Emma am Arm. »Was sagst du da?«

»Du hast ihn nicht verlegt«, wiederholte Emma. »Gansmann hat ihn von Hinnerk stehlen lassen. Du hattest die Tür abgeschlossen.«

Ihre Großmutter guckte sie sprachlos an.

»Kannst du das beweisen?«, fragte sie leise.

Emma schüttelte den Kopf. »Nur wenn die Polizei mir und Leo mehr glaubt als Hinnerk und Gansmann. Wir haben nämlich gesehen, wie sie den Vertrag verbrannt haben.«

Der Anwalt kam zu ihnen zurück.

»Entschuldigen Sie, Frau Blumentritt«, sagte er, »aber ich habe meinem Mandanten gesagt, dass diese Kopie die Sachlage natürlich völlig verändert und ich ihm dringend rate

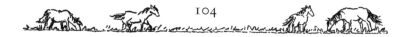

seine derzeitige Vorgehensweise noch einmal zu überdenken.«

»Was heißt das?«, fragte Emma.

»Das heißt«, der kleine Mann schob seinen Krawattenknoten nach oben, »das heißt, dass das Pferd vorerst in Ihrem Besitz bleibt und mein Mandant auf seinen Anspruch erst einmal verzichtet.«

»Gut!«, sagte Emma.

Mit grimmiger Miene ging sie auf den Alligator zu, riss ihm das Halfter aus der Hand und führte Missi zurück auf die Koppel. Die Stute stupste ihr Maul gegen Emmas Schulter und knabberte zärtlich an ihrem Pullover. Emma nahm ihr das Halfter ab, umarmte sie und presste das Gesicht gegen ihren Hals.

»Das war knapp!«, flüsterte sie. »Oh, Missi, das war verdammt knapp, weißt du das?«

Mississippi trat unruhig zur Seite, schüttelte die Mähne und guckte fragend auf Emma herab. Emma zog den Kopf der Stute zu sich herunter und blies ihr zärtlich in die Nüstern.

»Der Kerl wird dich niemals kriegen«, flüsterte sie. »Und wenn ich mit dir bis Amerika weglaufe. Der kriegt dich nie!«

Als Max sah, dass Emma Mississippi wieder auf die Koppel brachte, führte er Aldo auch auf die Weide. Leo aber schlenderte am Alligator vorbei und grinste ihn an.

»Du?« Albert Gansmann sprangen vor Wut fast die Augen aus dem Kopf, als er Leo erkannte. »Also doch. Na warte, du verlogener Zwerg. Wenn ich dich noch mal in die Finger bekomme, dann ...«

»Dann was?«, fragte Dolly und stellte sich zwischen die beiden. Die Mistgabel hatte sie immer noch in der Hand. »Reicht es noch nicht, dass Sie hierher kommen und versuchen ein Pferd zu stehlen? Drohen Sie jetzt auch schon Kindern? Nicht auf meinem Hof.« Sie pfiff durch die Zähne und Zottel erhob sich hechelnd aus dem Gras.

»Zottel«, Dolly zeigte auf Albert Gansmann. »Bring das weg. Los.«

Zottel trottete auf den Alligator zu, packte ihn mit sanftem Zähnedruck am Ärmel und zerrte ihn Richtung Straße.

»Sagen Sie diesem Monster, es soll mich sofort loslassen!« rief Gansmann über die Schulter. »Den Anzug können Sie nämlich nicht bezahlen.«

»Hab ich auch nicht vor«, antwortete Dolly.

Albert Gansmann fluchte und schimpfte so laut, dass Elsbeth Dockenfuß sich oben aus ihrem Dachfenster lehnte. Aber Zottel zerrte ihn unbeirrt weiter.

»Ja, ich mach mich auf den Weg«, sagte Gansmanns Anwalt mit nervösem Lächeln. »Entschuldigen Sie die Störung, Frau Blumentritt.«

Emma verschloss sorgfältig das Koppelgatter und stellte

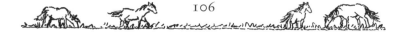

sich neben Dolly. Zottel zerrte den Alligator gerade aus dem Tor. Aber seinen Ärmel ließ er erst auf dem Bürgersteig los. Genau vor Dollys Mülltonne.

»Seit wann kann Zottel denn so was?«, fragte Max.

»Ja, genau«, Emma schüttelte ungläubig den Kopf. »Sonst bellt er doch nur.«

»Das macht er immer noch«, sagte Dolly. »Aber ich hab gemerkt, dass er gern Sachen irgendwohin bringt. Zum Beispiel Tüten zum Mülleimer. Man muss nur sagen ›Bring das weg‹ und schon packt er sich alles, worauf man zeigt, und läuft los. Praktisch, was?«

»Na, da hat er diesmal aber 'ne Riesenmülltüte weggeschleppt«, meinte Max. »Erzählt mir jetzt vielleicht mal jemand, was bei Klipperbusch passiert ist?«

»Bei Klipperbusch?« Überrascht guckte Dolly erst Emma und dann Leo an. »Aha. Also dahin ging der kleine Waldritt mit Aldo.«

»Na ja.« Emma malte verlegen mit der Schuhspitze Kreise in den Sand. »Wir haben ein bisschen spioniert.«

»So. Spioniert?« Dolly runzelte die Stirn. »Hatte Gansmann deshalb Schaum vor dem Mund, als er Leo sah?«

Emma nickte. »Leo hat mich gerettet.« Sie guckte Max an. »Dein Bruder ist nämlich ein Held. Ein echter Held.«

Leo wusste nicht, wo er hingucken sollte.

»Na, das sind ja abenteuerliche Neuigkeiten«, sagte Doktor Knapps. »Abenteuerlich und ziemlich beunruhigend.«

Dolly hatte ihn gleich nach den Ereignissen am Nachmittag angerufen, aber da hatte er gerade in einem Schweinestall gesteckt. Und danach musste er noch drei Kühe, ein altes Pferd und ein Schaf verarzten. Als er endlich mit Emma und Dolly am Wohnzimmertisch saß, wurde es draußen schon dunkel.

»Meinen Sie, Gansmann kommt noch mal wieder?«, fragte Emma.

Der Doktor rührte nachdenklich in seinem Kaffee herum. Emma hatte ihm einen besonders starken gekocht. »Auf jeden Fall solltet ihr gut auf diese Kopie aufpassen«, sagte er. »Wenn der Kerl schon jemanden zum Einbruch anstiftet, dann muss Mississippi wirklich sehr wichtig für ihn sein.«

»Aber wieso?« Dolly hängte ein Tuch über den Wellensittichkäfig und setzte sich neben Zottel aufs Sofa. »Wieso riskiert er plötzlich Kopf und Kragen für ein Pferd, das er noch vor ein paar Tagen zum Schlachter bringen wollte?«

»Es muss was mit der Erbschaft zu tun haben«, sagte Doktor Knapps. »Auch wenn der Kerl uns weismachen will, dass er wegen seines toten Onkels von Gewissensbissen geplagt wird. Nein, sein Erbe ist in Gefahr. Und wir müssen schnellstens herausfinden, wieso. Dolly«, er schob seinen Kaffee zur Seite, »bring mir mal das Telefon, ja?«

Dolly stand auf und stellte den Apparat vor Knapps auf den Tisch. Der Tierarzt zog ein kleines Buch aus der Jacke, blätterte ein paar Augenblicke lang darin herum und nahm den Telefonhörer ab.

»Drückt mir die Daumen!«, flüsterte er.

Emma sah fragend zu Dolly rüber, aber die zuckte nur die Schultern.

»Hallo?«, sagte Doktor Knapps. »Frau Strietzel? Ja, guten Abend, hier Knapps. Tut mir Leid, dass ich Sie so spät störe, aber könnten Sie wohl morgen früh mit Barnabas in meine Praxis kommen? Es grassiert hier in der Gegend im Moment so eine hässliche Hundegrippe und da dachte ich – nein, nein, nichts Lebensbedrohliches, aber – doch, doch, man kann dagegen impfen, deshalb – ja, ja, wir können das gleich morgen früh erledigen. Gut. So gegen elf? Keine Ursache. Das ist doch selbstverständlich, Frau Strietzel. Ja, dann bis morgen. Schönen Abend noch.«

Mit einem Seufzer legte der Tierarzt den Hörer auf.

»Knapps!«, sagte Dolly. »Was bist du doch für ein schamloser Lügner! Hundegrippe. Nicht mal deine Nasenspitze ist rot geworden. Vor dir muss man sich ja in Acht nehmen.«

Emma guckte die beiden verständnislos an. »Was sollte das denn?«, fragte sie. »Wer ist Frau Strietzel?«

»Dora Strietzel …«, Dolly goss sich noch einen Kaffee ein, »Dora Strietzel, meine Süße, ist fünfzehn Jahre lang Johann Klipperbuschs Haushälterin gewesen. Seit seinem Tod befindet sie sich, soviel ich weiß, im Ruhestand und verbringt die Zeit damit, ihren Hund mit Pralinen zu füttern und Gerüchte über Klipperbuschs Testament in die Welt zu setzen.« Doktor Knapps nickte. »Genau. Und diesen Gerüchten müssen wir auf den Grund gehen. Nur so erfahren wir, warum Klipperbuschs Neffe plötzlich sein Gewissen entdeckt hat.«

»Ach so, dann gibt es gar keine Hundegrippe, was?« Emma guckte den Doktor bewundernd an. »So, wie Sie das erzählt haben, wär ich auch drauf reingefallen. Garantiert.«

»Wirklich?« Der Doktor lächelte geschmeichelt.

»Nun guck sich einer den Kerl an!«, rief Dolly. »Jetzt bildet er sich auch noch was darauf ein, dass er gut lügen kann.«

»Nur für einen guten Zweck«, sagte Knapps. Er sah Emma an. »Willst du eigentlich immer noch Tierärztin werden?«

»Ja, sicher!«, antwortete Emma. »Warum?«

»Weil du mir morgen assistieren wirst. Die Sprechstunde beginnt um neun, also solltest du gegen Viertel vor neun in meiner Praxis sein, damit dir meine echte Assistentin noch ein bisschen was erklären kann, bevor es losgeht. In Ordnung?«

Emma war sprachlos.

»Heißt das ›ja‹?«, fragte Knapps.

»Ich …« Emma schluckte. »Ich glaub, das kann ich nicht.«

»Klar kannst du«, sagte der Tierarzt und schob ihr seinen Becher hin. »Wer so einen guten Kaffee kocht, kann einfach alles. Gießt du mir noch einen ein?«

Doktor Knapps wohnte und arbeitete in einem großen alten Haus, das ganz allein zwischen Wald und Wiesen an der Landstraße stand. Aus vier Dörfern kamen die Leute mit ihren Tieren zu ihm. Oder der Doktor fuhr auf die Höfe, wenn ihre Kühe, Schweine und Pferde krank waren.

Als Dolly Emma um Punkt Viertel vor neun bei Knapps absetzte, saßen schon vier Leute im Wartezimmer: zwei Frauen mit ihren Katzen, ein Mann mit einem Boxer und einer mit einer kleinen Ziege auf dem Schoß. Misstrauisch guckten sie Emma nach, die gleich ins Arztzimmer durchging.

»Aha, meine neue Assistentin!«, empfing Knapps sie. »Zieh dir den Kittel an, ja? Luisa, meine Praxishelferin, kommt gleich, um dir alles zu zeigen. Ich hab ihr gesagt, du kochst heute den Kaffee. Luisas Kaffee«, der Doktor senkte die Stimme, »Luisas Kaffee ist dünn wie Spülwasser.«

Emma grinste. »Geht schon in Ordnung«, sagte sie. Dann schlüpfte sie mit klopfendem Herzen in den viel zu großen Kittel, krempelte die Ärmel hoch und wartete.

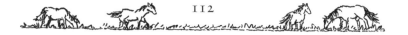

Luisa hatte rot gefärbte Haare, große Ohrringe und sah sehr nett aus. Sie zeigte Emma, wo die Betäubungs- und Desinfektionsmittel standen, wo sie die Hundekekse zur Beruhigung der Patienten finden konnte, welche Schere zum Schneiden der Verbände da war, wie viel verschiedene Ohrentropfen es für Tiere gab – und wo die Kaffeemaschine stand. Dann winkte sie Emma noch mal zu und überließ ihr das Feld.

»Fertig?«, fragte Doktor Knapps. »Dann ruf mal den ersten Patienten herein.«

Emma zupfte ihren Kittel zurecht und öffnete die Tür.

»Der Nächste, bitte!«, rief sie ins Wartezimmer.

Der Mann mit der Ziege stand auf.

In den nächsten zwei Stunden rief Emma genau fünfzehnmal: »Der Nächste, bitte!« Sie half Doktor Knapps, Hundepfoten zu verbinden, kraulte Katzen beruhigend die Köpfe, öffnete Vogel- und Kaninchenkäfige und holte Verbandszeug. Nur zweimal musste Luisa helfen.

Um kurz vor elf zog Doktor Knapps Emma in den kleinen Raum neben dem Behandlungszimmer, wo seine Kaffeemaschine und sein Schreibtisch standen.

»Frau Strietzel sitzt schon draußen«, sagte er leise. »Ich habe Luisa gesagt, dass wir sie bei dieser Patientin bestimmt nicht brauchen und dass sie eine Pause machen kann. Sie würde unseren kleinen Schwindel mit der Hundegrippenimpfung nämlich sofort bemerken. Du hast bisher so gut geholfen, dass du das hier sowieso ganz allein schaffen wirst. Aber pass auf, dass du dich nicht verplapperst, ja? Also, merk dir. Wir haben schon fünfzehn Fälle von Hundegrippe gehabt, aber Frau Strietzels Liebling muss nur seinen Hundekeks mit braunen Tropfen fressen, um davor geschützt zu sein. Klar?«

Emma nickte.

Knapps zog ein Fläschchen mit brauner Flüssigkeit aus der Kitteltasche und drückte es ihr in die Hand. »Das sind harmlose Vitamintropfen. Vier davon träufelst du auf einen der Hundekekse, die wir sonst zur Beruhigung geben. Mach das Ganze schön spannend. Ich versuch in der Zeit das Gespräch in Gang zu bringen. Wenn Frau Strietzels Hund den Keks gefressen hat, werde ich ihn noch mit viel Brimborium untersuchen. Dabei versuche ich sie weiter auszuhorchen. Wenn dir eine intelligente Frage einfällt, frage. Ansonsten merk dir alles, was sie sagt. Klar?«

Emma nickte.

Zusammen gingen sie wieder ins Behandlungszimmer.

»Also los!«, flüsterte der Doktor ihr zu. »Wünsch uns Glück.«

Emma öffnete die Tür zum Wartezimmer. »Der Nächste, bitte«, rief sie.

Eine kräftige ältere Frau sprang auf und drängte sich hektisch an Emma vorbei ins Behandlungszimmer. Auf dem Arm trug sie einen Hund, der ebenso lang wie breit war.

»Schnell, Doktor!«, rief sie. »Schnell, impfen Sie ihn. Wer weiß, ob einer von den Kötern da draußen ihn nicht schon angesteckt hat.« Sie setzte den Hund auf den Behandlungstisch und betastete besorgt seine Nase. Die sah aus, als hätte sie jemand platt gedrückt.

»Warm!«, rief Frau Strietzel. »Sehen Sie? Warm. Dabei war sie heute Morgen noch ganz kalt und feucht.«

»Na, na, Frau Strietzel«, Doktor Knapps schob sie sanft zur Seite. »Nun beruhigen Sie sich mal. So schnell geht das mit dem Anstecken bei dieser Grippe nicht. Meine Assistentin präpariert jetzt gleich den Keks, den Barnabas schlucken muss, und schon kann überhaupt nichts mehr passieren.«

»Assistentin?« Misstrauisch sah Frau Strietzel zu, wie Emma die braunen Tropfen auf den Keks träufelte. »Aber das ist doch ein Kind. Wo ist denn Luisa?«

»Oh, die ist nebenan«, sagte Doktor Knapps. »Aber keine Sorge, Emma kann das sehr gut. Wir haben heute schon«, er hob den Kopf, »Emma, wie viele Hunde haben wir heute schon geimpft gegen diese Grippe?«

»Elf«, antwortete Emma.

Sie legte den Keks auf ein Tellerchen und trug ihn zum

Behandlungstisch. Frau Strietzels Hund schnupperte interessiert daran, dann verschlang er ihn mit einem Haps.

»Oh, das ist aber ein kluger Hund«, sagte Emma. »Das sieht man gleich. Wie heißt er denn?«

»Barnabas!«, schniefte Frau Strietzel. »Er ist der Allerallerklügste.« Sie holte ein Taschentuch aus der Handtasche und putzte sich die Nase. »Ach, ich habe eine abscheuliche Erkältung. Was meinen Sie, Doktor, würde so ein Keks vielleicht auch bei mir helfen? Ich werde diesen Schnupfen einfach nicht los.«

»Wo haben Sie sich den denn geholt?«, fragte der Doktor und gab Emma das leer gefressene Tellerchen zurück.

Frau Strietzel seufzte. »Ach, auf einer Beerdigung. Man sollte wirklich verbieten, dass so etwas bei Regenwetter stattfindet.«

Sie nieste.

»Beerdigung?«, fragte Doktor Knapps. »War das die von Johann Klipperbusch?«

»O nein!« Frau Strietzel tätschelte Barnabas den speckigen Rücken. »Da war das Wetter wunderbar. Klipperbusch wusste eben immer, was sich gehört. Nein, es war eine Hundebeerdigung. Der Dackel meiner besten Freundin ist gestorben.«

»Aha, nun ja.« Doktor Knapps warf Emma einen enttäuschten Blick zu und klemmte sich sein Stethoskop in die

Ohren. »Wo Sie schon mal hier sind, Frau Strietzel, werde ich Barnabas gleich noch mal gründlich untersuchen. Ist Ihnen das recht?«

»Natürlich.« Frau Strietzel musterte Emma von Kopf bis Fuß. »Die Kleine macht das wirklich gar nicht schlecht, Doktor. Was willst du denn mal werden? Tierärztin?«

»Genau«, antwortete Emma. »Und Sie? Was ist Ihr Beruf?«

»Meiner?« Frau Strietzel lachte. »Ich hab's nur zur Haushälterin gebracht.«

»Frau Strietzel hat beim alten Klipperbusch gearbeitet, Emma«, sagte der Doktor.

»Ach, der!«, rief Emma. »Der mit dem Pferd. Kennen Sie auch seinen Neffen?«

»Natürlich.« Frau Strietzel holte das nächste Taschentuch aus der Handtasche. »Ein netter Mann. So gepflegt und irgendwie – energisch. Ja, das ist das richtige Wort. Als Klipperbusch tot war, hat er mir Blumen vorbeigebracht und mich gefragt, ob ich nicht bei ihm weiterarbeiten will, wenn er den Hof erbt. Aber ich habe ›nein‹ gesagt. Hab genug gearbeitet in meinem Leben. Jetzt will ich mich nur noch um Barnabas kümmern.«

Emma und der Doktor wechselten einen schnellen Blick.

»Ach ja?« Doktor Knapps guckte sich Barnabas' Zähne an. Als der Hund zu knurren begann, klappte er die Schnauze schnell wieder zu. »Vielleicht überlegen Sie es sich ja noch

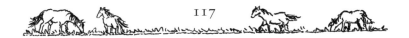

mal. Dieser Gansmann wird Hilfe brauchen, wenn er so einen großen Besitz erbt.«

Frau Strietzel lächelte. So, als ob sie ein bisschen mehr über die Welt wüsste als die anderen.

»Ja, wenn!«, sagte sie. »Ich glaube, da wird es eine kleine Überraschung geben.«

Sie putzte sich die Nase.

»Was für eine Überraschung denn?«, fragte Doktor Knapps.

Doch Frau Strietzel schüttelte den Kopf. »Nein, nein, mehr kann ich wirklich nicht verraten.«

»Dem Alligator haben Sie's aber erzählt!«, sagte Emma.

Da war es rausgerutscht.

Einfach so. Ohne dass sie es wollte. Erschrocken kniff Emma die Lippen zusammen, aber dafür war es natürlich viel zu spät.

Doktor Knapps seufzte – und untersuchte Barnabas' Ohren.

Frau Strietzel guckte Emma entgeistert an.

»Wer ist denn der Alligator?«, fragte sie.

»Albert Gansmann«, murmelte Emma ohne sie anzusehen.

»Klipperbuschs Neffe.«

Frau Strietzel wurde rot und schniefte in ihr Taschentuch.

Doktor Knapps gab Barnabas ein paar Hundebrekkies und guckte seine Besitzerin an. »Haben Sie ihm wirklich was erzählt?«, fragte er.

Frau Strietzel schniefte immer noch in ihr Taschentuch.

»Dora!«, sagte Doktor Knapps. »Haben Sie dem Neffen von Johann Klipperbusch etwas über das Testament seines Onkels erzählt?«

»Na ja!« Frau Strietzel tupfte an ihrer roten Nase herum. »Ja, hab ich. Als er zum dritten Mal bei mir vor der Tür stand, wieder mit so einem wunderbaren Blumenstrauß, Sie wissen schon, so einer mit Zellophan drum rum, und fragte, ob ich bei ihm arbeiten würde. Da habe ich es ihm gesagt. Damit er all das Geld nicht umsonst ausgab und damit er mich endlich in Ruhe ließ.«

»Was haben Sie ihm gesagt?«, fragte Doktor Knapps.

Emma hielt die Luft an.

»Dass er einen großen Fehler gemacht hat«, murmelte Frau Strietzel.

»Welchen Fehler?«

Frau Strietzel rückte Barnabas' rotes Halsband zurecht. »Dass er Klipperbuschs Stute verkauft hat. An Dolores Blumentritt. Sie wissen schon, diese Frau mit den vielen Hunden. Also, ich würde das Barnabas nicht zumuten. Ich bin nur für ihn da.«

»Und?« Doktor Knapps wurde langsam ungeduldig. »Was ist, um Himmels willen, so schlimm daran, dass Klipperbuschs Neffe ihr die Stute verkauft hat?«

Frau Strietzel guckte ihn ärgerlich an. »Wüsste nicht, warum ich Ihnen das jetzt auch noch erzählen soll, Doktor.«

Knapps seufzte. Er hob den dicken Barnabas vom Tisch und stellte ihn auf den Boden.

»Dora«, sagte er. »Darf ich Ihnen die Enkelin von Dolly Blumentritt vorstellen? Das hier ist Emma. Sie ist die neue Besitzerin von Klipperbuschs Stute und seit ein paar Tagen versucht Albert Gansmann alles, um ihr das Pferd wieder abzunehmen. Bitte! Sagen Sie uns, warum!«

Frau Strietzel runzelte die Stirn.

»Du liebe Güte!«, stöhnte sie. »Das konnte ich doch nicht ahnen.«

Sie nahm sich ein neues Taschentuch und putzte sich noch mal die Nase. Dann guckte sie Emma an.

»Er verliert sein Erbe«, sagte sie. »Wenn er das Pferd nicht hat, geht er leer aus.«

»O nein!«, murmelte Doktor Knapps. Er rieb sich die Stirn und legte seinen Arm um Emmas Schultern. »Das ist schlimmer, als ich befürchtet habe.«

Barnabas schnüffelte interessiert an Emmas Schuh und leckte ihn ab.

»Sind Sie sicher, Dora?«, fragte der Doktor. »Ganz sicher?«

»Es steht in Klipperbuschs Testament.« Frau Strietzel senkte die Stimme und guckte sich nach allen Seiten um, als fürchte sie, der Geist vom alten Klipperbusch säße in einem der Arzneischränke. »Ich hab es beim Staubputzen gefunden. Es lag auf dem Schreibtisch und ich hab einen Blick drauf geworfen. Nicht viele können seine krakelige Handschrift lesen, aber ich kann es. Hab schließlich oft genug seine Einkaufszettel entziffern müssen. ›Hiermit verfüge ich, Johann Klipperbusch‹, stand da, ›im vollen Besitz meiner geistigen Kräfte, dass mein Neffe Albert Gansmann all meinen Grundbesitz in Abendrade, als da sind Grund und Boden, Ställe und ein Wohnhaus samt Möbeln, erbt sowie mein Pferd Mississippi, allerdings unter einer Bedingung: Er darf dieses Pferd nie verkaufen und muss es nach bestem Vermögen pflegen bis zu Mississippis hoffentlich sehr spätem natürlichen Tod. Behält er das Pferd nicht, gehen der Hof und das ganze Land an den Tierschutzverein.‹ So stand es da. Wort für Wort.« Frau Strietzel lächelte. »Ich habe ein außerordentlich gutes Gedächtnis, wissen Sie?«

»Du liebe Güte!«, stöhnte Doktor Knapps. »Kein Wunder, dass der Mann vor einem kleinen Einbruch nicht zurückschreckt. Aber was ist mit Klipperbuschs Geld?«

Frau Strietzel nahm Barnabas auf den Arm und küßte ihm den dicken Kopf. »Danach hat sein Neffe mich auch gefragt, aber darüber weiß ich nun wirklich nichts. Der alte Klipperbusch hat es kurz vor seinem Tod von der Bank geholt und seitdem ist es verschwunden.« Sie nieste wieder. »Der arme Herr Gansmann. Er hatte so wunderbare Pläne für den alten Hof. Doppelhaushälften wollte er darauf bauen, eine Pelztierfarm, Sie wissen schon, mit diesen Tieren, die man sich als Kragen um den Hals hängt. Man kann schon verstehen, dass er verzweifelt war, als das alles nichts werden sollte, nicht wahr? Nur wegen diesem dummen alten Pferd.« Sie schnäuzte sich noch einmal und sah Knapps an. »Ach, bitte, Doktor, lassen Sie mich doch auch so einen Keks mit diesen braunen Tropfen nehmen! Vielleicht hilft es ja.«

Aber Doktor Knapps schob sie sanft zur Tür.

»Ganz bestimmt nicht«, sagte er. »Bei Menschen löst es Juckreiz aus. Schönen Tag noch, Frau Strietzel.«

Danach blieb eine Woche lang alles still. Der Alligator verschwand in die Stadt. Hinnerk war krankgeschrieben. Die Kopie von Mississippis Kaufvertrag lag in Doktor Knapps' Giftschrank und Emma und die Hunde schliefen jede Nacht im Pferdestall. Dolly war davon nicht begeistert, aber sie verbot es auch nicht. Und jeden Morgen, bevor sie sich aufs Fahrrad schwang, brachte sie Emma einen heißen Kakao in den Stall.

Dann, am achten Tag nach Frau Strietzels Geständnis, kam ein Brief für Dolly. Vom Amtsgericht.

Emma striegelte Mississippi und Aldo gerade das Fell und zog ihnen die Kletten aus Mähne und Schweif.

»Nun hör dir das an«, sagte Dolly und lehnte sich gegen den Koppelzaun, »ich bin eingeladen. Zur Eröffnung des Testaments von Johann Klipperbusch. Was sagst du dazu?«

Emma ließ überrascht die Bürste sinken. Mississippi drehte den Hals und knabberte an ihrem Pullover.

»Heißt das, du erbst was von ihm?«

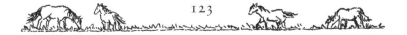

Dolly zuckte die Achseln. »Wahrscheinlich. Johann hat mal gesagt, dass er mir, wenn ich ihn überlebe, seine Bücher vererbt. Aber ich hab das damals für einen Witz gehalten.« Nachdenklich faltete sie den Brief wieder zusammen und steckte ihn zurück in den Umschlag.

»Dolly«, Emma pflückte etwas Stroh aus Mississippis Mähne, »warum wolltest du damals nicht nach Amerika?« Ihre Großmutter lächelte. »Ach, nach Amerika wollte ich schon. Aber nicht mit Klipperbusch, weißt du. Lassen wir das Thema. Kümmer du dich um die Pferde, ich seh mal nach den Hunden. Zottel zernagt bestimmt wieder meine Teppiche und Tom und Jerry hab ich schon seit dem Frühstück nicht mehr gesehen. Wahrscheinlich graben sie Elsbeths Beete um.« Langsam schlenderte sie zum Haus zurück. »Ach, übrigens«, rief sie über die Schulter zurück. »Die Testamentseröffnung findet schon in vier Tagen statt. Danach brauchen wir uns wohl endlich keine Sorgen mehr darüber zu machen, was dieser Gansmann ausheckt. Dann kannst du auch wieder in deinem Bett schlafen.«

»Ach, das macht mir nichts!«, rief Emma zurück. »Ich schlaf gern im Stall. Trotz Ratten.«

Den Rest des Vormittags misteten Dolly und Emma Ställe aus, schrubbten Hühnerstangen und Wassereimer, entfernten fünfzehn Zecken aus Zottels Fell, verarzteten zwei

Kater, die sich gegenseitig zerkratzt hatten, und fingen vier Hennen, die sich auf das Kohlbeet von Elsbeth Dockenfuß verirrt hatten.

Am Nachmittag machte Emma einen langen Waldspaziergang mit Mississippi und danach picknickte sie mit Leo und Max auf der Wiese vorm Haus. Zottel legte sich neben sie und passte auf, dass kein Krümel übrig blieb. Die kleine weiße Katze kam für ein paar Streicheleinheiten auf Emmas Schoß. Nur Tom und Jerry ließen sich nicht blicken. Als die beiden auch zum Abendbrot nicht auftauchten, machte Dolly sich Sorgen. Sie fuhr sogar mit dem Auto ein Stück die Straßen entlang, aber sie kam allein zurück.

Um neun Uhr abends, als Emma noch mal ans Tor ging, um Tom und Jerry zu rufen, fand sie den Brief. Er klemmte im Briefkasten.

Auf dem Umschlag klebte keine Briefmarke und ein Absender stand auch nicht drauf. Dollys Anschrift war mit einer Schreibmaschine getippt.

Komisch, dachte Emma – und nahm den Umschlag mit ins Haus. Dolly saß im Wohnzimmer auf dem Sofa und las.

»Da ist noch ein Brief für dich gekommen«, sagte Emma. »Ohne Absender.«

Dolly hob überrascht den Kopf. »Was denn für ein Brief? Um diese Zeit?« Sie riss den Umschlag auf. Ein sauber gefaltetes Blatt Schreibmaschinenpapier steckte drin.

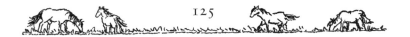

Dolly faltete es auseinander und las. Dann reichte sie es wortlos zu Emma hinüber.

In sauberer Schreibmaschinenschrift stand da:

Sollten Sie Interesse daran haben, Ihre Hunde noch mal wieder zu sehen, dann kommen Sie übermorgen allein zum Klipperbusch-Hof. Bringen Sie Folgendes mit: diesen Brief, den Kaufvertrag für die Stute Mississippi und die Stute selbst. Außerdem erzählen Sie überall herum, dass Ihnen das Pferd zu kostspielig wurde und dass Sie es deshalb schweren Herzens zum Klipperbusch-Hof zurückgebracht haben. Erfüllen Sie all diese Bedingungen, dann sehen Sie Ihre Hunde drei Tage nach der Vollstreckung des Klipperbusch-Testaments wohlbehalten wieder.

Ein Hundefreund

»Ein Erpresserbrief!«, flüsterte Emma. »Das ist 'n richtiger Erpresserbrief.«

Ungläubig sah sie ihre Großmutter an.

»Was machen wir denn jetzt?«

Dolly zuckte die Achseln. »Ich habe keine Ahnung. Obwohl ich so was schon tausendmal im Fernsehen gesehen habe. Aber ich hätte nie gedacht, dass ich selbst so ein widerliches Ding bekommen könnte. Schließlich geht's da meistens um Geld und davon hab ich ja nicht allzu viel.«

»Aber jetzt geht's um Mississippi«, sagte Emma.

Dolly nickte. »Und um Tom und Jerry. Verflixt, können diese Hunde nicht besser auf sich aufpassen? Vermutlich hat schon eine Wurst gereicht, um die beiden ins Auto zu locken. Ach was, wahrscheinlich sind sie sogar freiwillig eingestiegen. Zuzutrauen wär's ihnen.«

Emmas Beine fühlten sich plötzlich ganz zittrig an. Sie setzte sich zu Dolly aufs Sofa.

»Vielleicht sollten wir die Polizei anrufen«, sagte sie leise.

Aber Dolly schüttelte den Kopf. »Du liebes bisschen, nein. Du kennst unseren Polizisten nicht, aber ich. Er hat zu viele amerikanische Krimis geguckt und vor Hunden hat er eine Heidenangst. Nein, das müssen wir schon allein schaffen. Wenn ich bloß wüsste, wie.«

Emma erinnerte sich nicht, dass Dollys Gesicht schon mal so müde ausgesehen hatte. Sie nahm den Brief vom Tisch und las ihn noch mal.

»Wir könnten zu Klipperbuschs Haus fahren und sie suchen«, schlug Emma vor. »Leo hat mir den Hintereingang gezeigt. Wir könnten Zottel mitnehmen. Der findet sie bestimmt.«

Aber Dolly schüttelte nur den Kopf.

»Vergiss es, Schatz«, sagte sie. »Der Kerl ist nicht dumm. Er hat die Hunde bestimmt nicht selbst entführt und ganz bestimmt versteckt er sie nicht in seinem Haus.«

Emma ließ den Kopf hängen.

Dolly stand seufzend auf. »Ich werde Knapps anrufen. Vielleicht fällt dem ja was ein.«

»Ich weiß, was passieren wird«, sagte Emma. »Ich muss Mississippi abgeben! Und dann muss sie wieder zu diesem scheußlichen Kerl. Und er wird sie nicht streicheln und nicht mit ihr sprechen und er wird sie nicht auf die Weide lassen. Er wird sie in seinen Stall stellen, bis er sein blödes Geld hat, und dann wird sie irgendwann vor Einsamkeit sterben. Das wird passieren.«

»Wird es nicht!«, sagte Dolly und nahm den Hörer ab. »Darauf geb ich dir mein Ehrenwort. Und wenn ich Mississippi eigenhändig wieder aus Klipperbuschs Stall hole. Aber jetzt ruf ich erst mal Knapps an. Und du gehst zu Missi in den Stall und kraulst ihr die Nase. Davon hat sie nämlich mehr, als wenn du hier rumsitzt und dir düstere Gedanken machst.«

Es war still im Stall. Nichts raschelte im Stroh, das Mondlicht spann silberne Fäden durch die Dunkelheit. Aber Emma konnte nicht schlafen. Unruhig drehte sie sich von einer Seite auf die andere. Mississippi stand dösend in ihrer Box und schnaubte leise im Schlaf.

Arme Missi, dachte Emma. Sie weiß nichts von dem Brief. Neben ihr schmatzte Zottel im Traum. Emma drückte ihr Gesicht in sein Fell, aber die Tränen kamen trotzdem. Was konnte sie bloß tun?

Ihr Kopf tat schon ganz weh vom Nachdenken. Aber nichts fiel ihr ein. Gar nichts. Nicht mal weglaufen konnte sie mit Missi. Was dann mit Tom und Jerry passieren würde, wollte sie sich gar nicht erst vorstellen. Gab es auch Hundeschlachter? Emma legte ihren Kopf auf Zottels Rücken. Der große Hund fiepte leise und seine Pfoten zuckten unruhig hin und her.

Ob er von Kaninchen träumte? Vom Jagen? Wovon träumen Pferde?

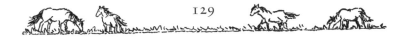

Emma setzte sich auf und guckte durch ein Stallfenster zum Mond hinauf.

Da wär ich jetzt gern, dachte sie. Weit, weit weg von dem ganzen Mist.

Mississippi schnaubte.

Emma schob die Decke zur Seite und tappte auf nackten Füßen zu ihrer Box. Das Stroh pikste ihr in die Zehen. Emma lehnte sich an die Boxenwand und guckte die Stute einfach nur an.

Dass Pferde im Stehen schlafen! Emma hatte das früher nicht geglaubt, bis sie Aldo nachts in seinem Stall besucht hatte. Doktor Knapps hatte versucht es ihr zu erklären.

»Also, ich denk mir das so«, hatte er gesagt. »Pferde gehören zu den Tieren, deren einzige Chance bei Gefahr die Flucht ist. Würden sie sich zum Schlafen hinlegen und ein Raubtier schliche sich an sie heran, dann würde es viel zu viel Zeit kosten aufzuspringen. Der Körper würde ein paar Augenblicke brauchen, um das Gleichgewicht zu finden, der Kreislauf käme viel zu langsam wieder in Gang. Kostbare Zeit ginge verloren. Deshalb ist Liegen eine gefährliche Stellung für Pferde.«

Emma lehnte ihren Kopf an das rauhe Holz.

»Tja, Missi«, murmelte sie. »Gegen den Alligator hilft kein Weglaufen.«

Weglaufen half sowieso überhaupt nicht mehr. Bei all den

Zäunen und Straßen. Wenn ein Pferd da nicht an freundliche Menschen geriet, dann hatte es Pech gehabt. Stand ein Leben lang in irgendeinem stickigen Stall herum, wurde höchstens mal zum Reiten rausgeholt. Musste tun, was sein Mensch wollte. War nur zu dessen Vergnügen da.

Emma schreckte aus ihren düsteren Gedanken, als Zottel aufsprang und schwanzwedelnd auf die Stalltür zulief. Dolly steckte den Kopf herein.

»Na, könnt ihr zwei auch nicht schlafen?«

Mit zwei dampfenden Bechern schob sie sich durch die Tür. Sie hatte ihren dicken Morgenmantel an und an den Füßen Gummistiefel.

»Zottel hat heute Nacht wie ein Baby geschlafen«, sagte Emma. »Manchmal wär ich auch gern ein Hund. Die wissen von gar nichts.«

»Wer weiß«, sagte Dolly. Sie setzte sich auf Emmas Bettdecke und klopfte auf den Platz neben sich. »Komm, setz dich zu mir. Ich hab uns Milch mit Honig gemacht. Das vertreibt zwar nicht die dunklen Gedanken, aber es macht schläfrig. Sagt man wenigstens.«

Emma setzte sich neben Dolly und lehnte den Kopf an ihre Schulter.

»Was sollen wir bloß machen?«, fragte sie.

Dolly zuckte die Achseln.

»Ich weiß es nicht. Ich hab die ganze Zeit im Wohnzimmer

gesessen und darüber nachgegrübelt. Aber mir fällt nichts ein. Ich fürchte, wir können erst was tun, wenn wir die Hunde zurückhaben.« Sie strich Emma übers Haar. »Weißt du, das einzig Gute an Klipperbuschs albernem Testament ist, dass sein Neffe Mississippi nicht zum Schlachter geben kann. Und das war ja wohl auch Klipperbuschs Absicht. Aber ich finde, da hätte er sich ruhig eine etwas klügere Lösung einfallen lassen können.«

Emma seufzte. Sie setzte sich auf und trank ihre heiße Milch. »Knapps weiß auch nichts, was?«

Dolly schüttelte den Kopf. »Ich fürchte, der arme Kerl liegt jetzt in seinem Bett und kann genauso wenig schlafen wie wir. Ich hätte ihn doch erst morgen früh anrufen sollen.«

Emma gähnte. Zottel legte sich neben sie und leckte ihr die nackten Füße.

»Igitt, Zottel!« Emma zog kichernd die Füße unter ihr Nachthemd. »Lass das, das kitzelt ja fürchterlich.«

»Oh, das war noch gar nichts«, sagte Dolly und stand auf. »Mir knabbert er manchmal mit seinen Zähnen zwischen den Zehen herum. Ganz behutsam, aber es ist zum Verrücktwerden.«

»Ich glaub, er versteht uns«, sagte Emma. »Sieh doch mal.« Der große Hund guckte Emma an, als wäre er tödlich beleidigt.

»Ach was, so guckt er ständig«, sagte Dolly. »Er will was zu

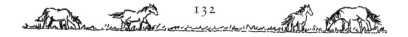

fressen, wie immer. Aber ich geh jetzt in mein Bett. Sonst fall ich morgen früh vom Fahrrad. Meinst du, du kannst jetzt noch ein bisschen schlafen?«

»Ich versuch's.« Emma kroch unter ihre Decke und zog sie sich bis unters Kinn. »Bis morgen.«

»Bis morgen«, sagte Dolly.

Als sie die Stalltür leise hinter sich schloss, war Emma schon eingeschlafen.

Am nächsten Tag kam noch ein Brief.

Wieder steckte er im Briefkasten, zusammen mit einer Karte von Emmas Eltern.

Emma fand ihn, als sie vor dem Frühstück nach der Post sah. Zuerst fiel er ihr nicht weiter auf. Dollys Anschrift war mit der Hand geschrieben. Ein bisschen krakelig, aber lesbar. Bestimmt von Alma, dachte Emma. Alma sah Dolly zwar regelmäßig, aber sie war eine begeisterte Briefeschreiberin. Dann bemerkte Emma, dass auf dem Umschlag wieder der Absender fehlte. Und eine Briefmarke klebte auch nicht drauf.

Aufgeregt lief sie ins Haus.

Dolly saß am Tisch und las Zeitung.

»Da«, sagte Emma und warf ihr den Umschlag auf den Teller. »Da ist wieder so ein komischer Brief. Ohne Absender und Briefmarke.«

Dolly legte die Zeitung weg und schlitzte den Umschlag mit dem Brötchenmesser auf.

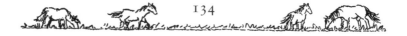

»Oje, das wird ja immer wilder!«, murmelte sie. »Da hat wohl jemand ein paar Krimis zu viel gesehen. Guck dir das an.« Sie gab Emma den Brief. Er war weder mit der Hand geschrieben noch mit der Schreibmaschine. Der Text war aus Zeitungsschnipseln zusammengeklebt. Das Ding sah aus wie ein Erpresserbrief aus irgendeinem albernen Fernsehfilm.

»Kommen Sie heute Nacht um eins zu der Angelhütte am Waldtümpel«, stand da. »Aber allein. Sie kriegen da was zurück, was Ihnen gehört.«

Emma guckte Dolly an.

»Was soll das denn nun wieder?«

Ihre Großmutter seufzte. »Ich weiß es nicht. Ich weiß nur, dass ich jetzt erst mal Henriette und Alma anrufe und unser Treffen absage. Nach Kartenspielen ist mir heute wirklich nicht zu Mute.«

Dolly wollte sich gerade das Telefon holen, da ging die Küchentür auf.

»Ach, da seid ihr!« Doktor Knapps zog den Kopf ein und kam herein. »Ich wär eher gekommen, aber ich musste heute Morgen schon drei Kühe und ein Schwein verarzten. Außerdem«, er nieste und zog ein riesiges Taschentuch aus der Jacke, »außerdem hat mich Frau Strietzel angesteckt. Meine Nase läuft wie ein undichter Wasserhahn.«

»Du kommst genau richtig«, sagte Dolly. »Emma, zeig ihm

den Brief! Wir haben nämlich schon wieder einen bekommen.«

Mit spitzen Fingern nahm der Tierarzt das Blatt Papier entgegen. »Tatsächlich!«, murmelte er. »Ein echter Erpresserbrief. So was hab ich bisher nur im Fernsehen gesehen. Habt ihr auf Fingerabdrücke geachtet?«

»Nein, haben wir nicht«, sagte Dolly. »Spiel jetzt nicht den Detektiv, Knapps. Lies dir lieber den Text durch. Der klingt gar nicht nach einem Erpresserbrief, hört sich doch eher so an, als hätte jemand kalte Füße bekommen. Nein, der Erpresserbrief sieht ganz anders aus. Emma, holst du das Ding mal? Es liegt noch auf dem Wohnzimmertisch.«

Als Emma aufstand, trottete Zottel erwartungsvoll hinter ihr her.

»Vergiss es, Dicker«, sagte Emma. »Hier geht es nicht ums Fressen. Hier geht's um deine Freunde. Oder hast du noch gar nicht bemerkt, dass sie weg sind?«

»Pfui Teufel!«, sagte Knapps, als er den ersten Brief gelesen hatte. »Der klingt ja richtig gemein. Emma, ist da noch ein Kaffee für mich? Aber ich will ihn nur, wenn du ihn gekocht hast.«

Emma grinste und brachte ihm einen Becher.

Knapps betrachtete die beiden Briefe und nieste in sein Taschentuch. »Ihr wollt nicht die Polizei benachrichtigen, was?«

Dolly schüttelte den Kopf. »Würdest du das machen?«

»Nein.« Knapps seufzte. »Vor allem nicht nach diesem zweiten Brief. Aber ihr könnt unmöglich heute Nacht alleine da hingehen.«

»Ach, sei nicht albern, Knapps.« Dolly warf Zottel den Rest von ihrem Brötchen hin. »Natürlich geh ich alleine. Aber Emma wollte ich eigentlich bei dir lassen.«

»Was?« Emma fuhr von ihrem Stuhl hoch. »Kommt überhaupt nicht in Frage. Schließlich geht es um mein Pferd. Ich komm mit.«

Aber Knapps fiel ihr in den Rücken. »Das halte ich für keine gute Idee, Emma«, sagte er und rieb seine rote Nase. »Die Sache könnte gefährlich werden.«

»Außerdem muss jemand auf Mississippi aufpassen«, sagte Dolly. »Keine Diskussion. Du bleibst hier. Knapps, kannst du heute Nacht hier schlafen? Ich möchte nicht, dass Emma hier allein ist.«

»Kein Problem«, sagte der Tierarzt. »Wenn du nicht verlangst, dass ich mich auf dein Sofa lege. Da passt nämlich nur die Hälfte von mir drauf.«

»Du kannst mein Bett haben«, sagte Dolly. »Das ist riesig. Dann leg ich mich ins Gästezimmer, wenn ich zurück bin. Emma schläft ja im Stall.«

»Aha«, sagte Knapps.

Emma sagte gar nichts. Sie war wütend. Richtig wütend.

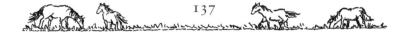

»Nun guck nicht so«, sagte Dolly. »Ich kann dich nicht mitnehmen. Wenn deine Eltern wüssten, was hier los ist, würden sie dich bestimmt auf der Stelle nach Hause holen.«

»Ja, ja«, brummte Emma. Ärgerlich schob sie ihren Stuhl zurück. »Ich geh nach draußen. Zu Mississippi. Die macht mir wenigstens keine Vorschriften.«

Den Rest des Tages schmollte Emma. Sie lief mit Mississippi durch den Wald, bis ihr die Füße wehtaten. Dann mistete sie die Ställe aus, putzte das Zaumzeug, wechselte das Wasser draußen in der Tränke aus und setzte sich mit der weißen Katze vor den Koppelzaun in die Sonne. Nicht einmal ließ sie sich im Haus blicken. Nur zum Mittagessen ging sie kurz rein, um zwei von Dollys versalzenen Kartoffeln zu essen. Dolly musterte sie besorgt.

»Guckst du wegen dem Essen so?«, fragte sie. »Oder bist du immer noch beleidigt?«

»Beides«, sagte Emma.

»Aber, Schatz«, Dolly lehnte sich über den Tisch und kniff sie in die Backe. »Versuch mich zu verstehen, ja? Ich kann dich einfach nicht mitten in der Nacht zu so einem Treffen mitschleppen.«

»Blödsinn!«, sagte Emma, schob ihren Teller weg und lief wieder nach draußen.

Als Leo und Max rüberkamen, sahen sie gleich, was mit ihr los war.

»Oje, was ist dir denn über die Leber gekrochen?«, fragte Max spöttisch. »Hat Mississippi dich getreten?«

»Quatsch!«, brummte Emma und setzte sich mit den beiden unter den Walnussbaum. »Ihr habt ja keine Ahnung, was los ist.«

»Na, dann klär uns doch auf«, sagte Leo.

Emma sah sich um. Von Elsbeth Dockenfuß war kein Schürzenzipfel zu entdecken und drüben in der Werkstatt dröhnte ein Motor.

»Ihr erzählt es niemandem?«

»Wir schweigen wie zwei zugeschaufelte Gräber«, sagte Max.

Emma senkte die Stimme. »Wir werden erpresst.«

Die Jungen guckten sie ungläubig an.

»Wartet hier.« Emma rannte ins Haus und holte die Briefe.

»Sie haben Dollys Hunde geklaut?«, rief Max, als er den ersten gelesen hatte.

Leo presste ihm schnell die Hand auf den Mund. »Bist du blöd oder was?«, zischte er. »Du weißt doch, was für große Ohren die Dockenfuß hat.«

Besorgt guckte er Emma an.

»Der eine Brief hört sich gemein an«, sagte er, »aber was ist mit dem zweiten?«

Emma zuckte die Schultern. »Deshalb bin ich ja so sauer. Ich wollte natürlich mit zu dem Treffen heute Nacht, aber

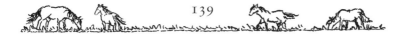

Dolly sagt, es ist zu gefährlich. Dabei geht's doch schließlich um mein Pferd!«

»Es könnte 'ne Falle sein«, raunte Max.

»Glaub ich nicht«, sagte Leo. »Der Alligator will das Pferd. Der will sich doch nicht Dolly fangen.«

Emma lehnte sich zurück. »Geht Hinnerk eigentlich wieder zur Arbeit?«, fragte sie. »Vielleicht weiß der was?«

Max schüttelte den Kopf. »Leo und ich haben gestern noch nach ihm gefragt. Aber er ist seit dem Treffen mit dem Alligator verschwunden. Proske weiß auch nicht, wo er ist.«

Plötzlich stand Leo auf und ging zu Dollys altem Kombi. Er lugte durch die Fenster hinein, öffnete die Klappe zum Kofferraum und machte sie wieder zu.

»Was macht der denn?« Max kicherte. »Also manchmal ist er schon ein bisschen komisch, was? He, Leo«, rief er. »Hast du noch nie ein Auto gesehen?«

Leo drehte sich nicht mal zu ihm um.

Emma runzelte die Stirn. Dann lächelte sie plötzlich.

Schnell guckte sie zum Haus rüber, aber Dolly war nicht zu sehen. Um diese Zeit saß sie meistens im Wohnzimmer, trank Tee und hörte Radio. Umso besser.

Emma ließ Max sitzen und lief rüber zu Leo.

»Geht es?«, fragte sie.

Leo nickte. »Kein Problem«, sagte er. »Bei dem Chaos da drin merkt sie bestimmt nichts.«

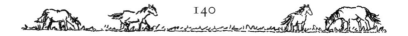

»Sie wird Zottel mitnehmen«, sagte Emma. »Aber der legt sich immer auf den Rücksitz.«

»Was tuschelt ihr denn da?«, rief Max. Misstrauisch kam er näher.

»Geheimnis«, sagte Emma, »wenn du nicht selbst drauf kommst.«

Max kniff die Augen zusammen. Er guckte erst seinen Bruder, dann das Auto und dann Emma an.

»Ihr wollt mich veralbern, was?«

»Quatsch!«, sagte Emma. »Wir testen nur, wie lang deine Leitung ist.« Sie kicherte. »Scheint ziemlich lang zu sein.«

»Emma!«, rief Dolly plötzlich aus dem Haus. »Holst du uns ein bisschen Kuchen oder bist du immer noch beleidigt?«

»Hat sich erledigt, das Beleidigtsein!«, rief Emma zurück. »Ich hol welchen.«

»Na, wunderbar, dann fang!« Dolly warf ihr das Portemonnaie durchs Küchenfenster zu.

Max stand immer noch da und guckte das Auto an.

Plötzlich schlug er sich an die Stirn. »Ich hab's!«, rief er. »Du willst ...«

Aber Leo hielt ihm gerade noch rechtzeitig den Mund zu.

Dolly saß mit dem Doktor in der Küche, als Emma im Nachthemd mit einer Wolldecke unterm Arm die Treppe runterkam. Es war gerade zehn Uhr.

Emma steckte den Kopf durch die Tür und gähnte. »Ich geh schlafen«, sagte sie. »Gute Nacht.«

Überrascht guckte Dolly sie an. »Jetzt schon?«, fragte sie.

»Na ja, ich bin müde«, sagte Emma und gähnte noch mal. »Außerdem will ich bei Mississippi sein. Zottel lass ich hier. Du nimmst ihn doch bestimmt nachher mit.«

Dolly nickte. »Ich weck dich, sobald ich zurück bin, ja?«

»Ist gut«, sagte Emma. »Vergiss dein Tränengasspray nicht.«

»Ich pass persönlich auf, dass sie es mitnimmt!«, sagte Knapps. »Schlaf gut, Emma.«

Es war kühl draußen, obwohl es ein warmer Tag gewesen war. Emma schloss die Stalltür hinter sich und schob die Putzzeugkiste davor. Vorsichtshalber. Dolly hatte doch ein bisschen misstrauisch geguckt.

Das Licht machte sie wegen der Pferde nicht an. Die beiden wurden sowieso schon unruhig, als sie Emma hörten. Sie lief zu den Boxen, streichelte die zwei ein bisschen und gab jedem eine Möhre zu knabbern. Dann rollte sie die Decke, die sie mitgebracht hatte, auseinander. Ein Sweatshirt, Jeans und ein Paar Socken fielen heraus. Schnell zog Emma alles über ihr Nachthemd, schob die Putzkiste wieder an ihren Platz und kroch unter ihre Bettdecke. Den Wecker, der neben ihrem Kissen im Stroh stand, stellte sie auf halb eins.

Als Dolly eine Stunde später hereinkam, schlief Emma immer noch nicht. Aber sie machte die Augen fest zu und versuchte ganz ruhig zu atmen. Wie jemand, der tief und fest schläft. Dolly kam noch zweimal und jedes Mal konnte Emma sie davon überzeugen, dass sie schlief.

Als der Wecker um halb eins klingelte, rollte sie die zusätzliche Wolldecke zusammen und legte sie so unter ihre Bettdecke, dass es aussah, als läge sie immer noch drunter. Damit das Ganze auch wirklich echt aussah, hatte sie Aldo und Mississippi schon am Nachmittag die Schweife ein bisschen gestutzt. Das Pferdehaar hatte fast dieselbe Farbe wie Emmas, den Unterschied würde Dolly im Dunkeln bestimmt nicht erkennen.

Emma ordnete die Strähnen so auf dem Kissen an, dass es aussah, als hätte sie sich die Bettdecke über den Kopf gezo-

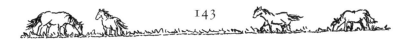

gen. Da sie das im Schlaf sowieso oft tat, würde Dolly bestimmt keinen Verdacht schöpfen.

Es war zwanzig vor eins, als Emma sich aus dem Stall nach draußen schlich. Irgendwo schrie eine Eule und zwei Katzen liefen über den dunklen Hof.

Zum Glück schloss Dolly ihr Auto nie ab, wenn sie es auf dem Hof parkte. Emma sah zum Haus hinüber. Sie konnte Dollys Schatten hinter dem erleuchteten Küchenfenster sehen. Bestimmt würde sie gleich rauskommen.

Emma öffnete die Tür zum Kofferraum, zog ein paar von den alten Hundedecken zur Seite, die Dolly immer im Auto hatte – und biss sich vor Schreck fast die Zunge ab.

Unter einer der Decken bewegte sich was.

»Schnell!«, zischte Leo und zog sie neben sich. »Mach die Klappe zu.«

Emma gehorchte. Sie zerrte eine Decke über sich.

»Bist du verrückt?«, flüsterte sie. »Was machst du hier?«

»Na, ich komm mit. Was sonst?«

»Und deine Eltern?«

»Die schlafen längst. Bäcker müssen um drei Uhr aufstehen.«

»Und Max?« Emma hörte die Haustür schlagen. Schritte kamen näher.

»Max schläft auch«, flüsterte Leo. »Und jetzt sei still. Sonst findet sie uns.«

Aber Dolly ging am Auto vorbei. Wahrscheinlich wollte sie noch ein letztes Mal in den Stall gucken.

»Was machen wir, wenn sie jetzt sieht, dass du nicht da bist?«, flüsterte Leo.

»Merkt sie nicht«, antwortete Emma.

In dem Moment kam Dolly zurück. Sie machte die hintere Autotür auf. »Los!«, sagte sie. »Nun spring schon, Dicker.« Dollys Auto machte einen Hopser, als Zottel auf den Rücksitz sprang. Zwei leere Flaschen rollten gegen Emma. Über ihrem Kopf hörte sie laute Schnüffelgeräusche.

»Zottel!«, sagte Dolly. »Leg dich hin, dahinten sind keine Hundekekse mehr.«

Dann ließ sie den Motor an und fuhr los.

Bei Dollys Fahrstil wurde man schon auf dem Beifahrersitz ziemlich durchgeschüttelt, aber das war eine Wohltat im Vergleich zu dieser Fahrt. Emma und Leo kam es vor, als würden sie windelweich geprügelt. Irgendwann wurde es noch schlimmer. Da waren sie wohl auf dem Schotterweg, der durch den Wald zu der alten Angelhütte führte.

Der große Wagen holperte über die Steine wie über ein Nagelbrett, aber trotzdem fuhr Dolly nicht langsamer. Emma und Leo rutschten auf der Ladefläche herum wie ein paar alte Teppichrollen, bis Dolly endlich anhielt.

Als sie den Motor abstellte, war es plötzlich totenstill. Still und stockdunkel.

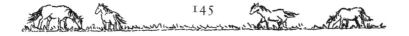

Irgendwo draußen schrie ein Käuzchen. Emma und Leo lugten unter ihren Decken hervor. Dolly stieß die Fahrertür auf und im Wagen ging das Licht an.

»Komm, Zottel!«, hörte Emma ihre Großmutter sagen. »Oder hast du neuerdings Angst im Dunkeln?«

Zottel sprang auf, streckte seinen dicken Kopf über die Rücksitzlehne und schnüffelte wie wild an der Decke herum, unter der Emma steckte.

»Verflixt noch mal, Dicker!«, schimpfte Dolly. »Kannst du nicht einmal an was anderes denken als ans Fressen?«

Genau in dem Moment musste Emma niesen.

Laut und kräftig.

Im nächsten Augenblick zog Dolly ihr die Decke vom Gesicht. »Emma!«, rief sie entgeistert. »Verdammt noch mal!«

Schniefend setzte Emma sich auf. »Ich muss doch auf dich aufpassen!«, sagte sie.

»Ich auch!«, sagte Leo und tauchte wie ein Geist unter seiner Decke hervor.

Dolly stöhnte. Während Zottel den Kindern die Gesichter ableckte.

»Ihr bleibt hier!«, sagte sie. »Hier im Auto. Oder ich verfüttere euch morgen früh an meine Hühner, verstanden?«

Emma und Leo nickten.

Dolly zerrte Zottel von der Rückbank und knallte die Tür zu. Vorsichtig setzten Emma und Leo sich auf und lugten über die Lehne vom Rücksitz. Dolly hatte die Autoscheinwerfer angelassen. Das Licht fiel auf die Angelhütte, in der Licht brannte.

Emma sah, wie ihre Großmutter mit Zottel auf die geschlossene Tür zuging.

»Komm!«, flüsterte sie Leo zu. »Jetzt ist alles egal. Sauer ist sie sowieso schon.«

Sie stießen die Heckklappe auf und krochen wie zwei Katzen aus dem Auto.

»Was jetzt?«, fragte Leo leise.

Dolly stand schon vor der Hütte. Sie hob die Hand um zu klopfen, als die Tür aufging.

Hinnerk kam heraus.

Und mit ihm Tom und Jerry. Bellend, mit wedelnden Schwänzen sprangen sie an Dolly hoch, leckten ihr die Hände und die Nase. Dann tobten sie mit Zottel über die kleine Lichtung, als hätten sie sich jahrelang nicht gesehen.

Hinnerk stand da, guckte auf seine Füße und sagte gar nichts.

»Komm!« Emma stieß Leo an.

Sie liefen an den tobenden Hunden vorbei zu Dolly.

Die guckte sie zwar streng an, aber sie schickte sie nicht zurück ins Auto.

»Hallo, Hinnerk!«, sagte Leo.

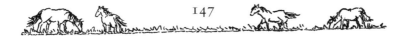

Hinnerk hob den Kopf und sah ihn an. »Ach, du schon wieder!«, brummte er. »Wo ist denn dein Bruder? Hast du den neuerdings überhaupt nicht mehr dabei?«

»Der schläft«, antwortete Leo. »Und was machst du hier? Hast du die Hunde gestohlen?«

Hinnerk kratzte sich am Nacken. »Da brauchte ich nicht viel zu tun. Die sind mir freiwillig ins Auto gesprungen.«

»Das glaub ich dir sogar«, sagte Dolly. »Ich hab den beiden schon immer gesagt, dass ihnen ihre Autoleidenschaft noch mal Ärger einbringen wird. Aber wie ist das mit dem Brief? Du weißt schon, welchen ich meine. Den gemeinen. Hast du den auch geschrieben?«

»Nee.« Hinnerk lehnte sich an den Türrahmen und vergrub seine Hände in den Hosentaschen. »Hab ich nicht. So was würde mir gar nicht einfallen.«

»Aber du hast ihn mir in den Briefkasten gesteckt, oder?« Dolly sah ihn prüfend an.

Hinnerk nickte.

»Du brauchst gar nicht zu sagen, für wen«, sagte Dolly. »Das wissen wir alle. Aber warum hast du es getan? Das würde mich ja doch mal interessieren.«

Emma sah Hinnerk an. Der wusste gar nicht, wo er hingucken sollte.

»Der Kerl wusste was von mir«, murmelte er.

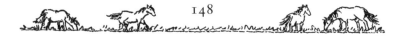

»Und was?«, fragte Dolly.

»Ich hab bei Proske Ersatzteile mitgehen lassen. Gansmann hat mir gedroht, er sagt es ihm.«

»Du meine Güte, Hinnerk!«, rief Dolly. »Das mit den Ersatzteilen weiß Proske seit Jahren. Aber er kann dich gut leiden, also sagt er nichts. Wegen so was macht man doch nicht bei einer Erpressung mit. Wegen so was entführt man doch nicht zwei nette Hunde.«

»Na, ich hab's ja auch schließlich nicht mitgemacht!«, rief Hinnerk. »Deshalb hab ich dir ja den Brief geschrieben, weil ich so was nicht kann. Das mit dem blöden Zettel, dem Kaufvertrag, das fand ich nicht so schlimm. Vor allem, weil der Klepper mich mal in den Dorfteich geschmissen hat. Aber das hier mit den Hunden – nee.«

Er schüttelte den Kopf.

»Komm.« Dolly fasste ihn am Arm. »Ich bring dich jetzt nach Hause. Du wohnst doch noch bei deiner Mutter, oder?«

Hinnerk nickte. »Aber nicht, dass du ihr ...«

»Gar nichts sag ich«, unterbrach ihn Dolly. »Zu niemandem. Die Hunde sind ausgebüchst und du hast sie gefunden. Basta. Emma und Leo werden dasselbe rumerzählen. Stimmt's?«

Emma und Leo nickten.

»Klar. Schließlich hat er ja irgendwie mein Pferd gerettet«, sagte Emma. »Wenn der Alligator die Hunde selbst entführt hätte, hätten wir sie jetzt bestimmt nicht zurück.«

Hinnerk guckte sie erstaunt an. »Na ja, find ich nett, dass du das so siehst«, murmelte er. »Aber wer ist der Alligator?«

Es war fast drei, als Dolly ihr Auto wieder neben dem Haus
abstellte. Der Mond stand immer noch am Himmel, aber
die Nacht verlor schon ihre Schwärze.

Tom und Jerry rasten ausgelassen über den Hof, scheuchten
die Katzen von den Mäuselöchern weg und bellten so laut,
dass Elsbeth Dockenfuß einen Pantoffel aus ihrem Schlaf-
zimmerfenster warf. Jerry schleppte ihn sofort in sein Kno-
chenversteck und vergrub ihn.

»Na, müde?« Dolly legte Emma den Arm um die Schultern.

Emma nickte.

Zusammen schlenderten sie zum Pferdestall rüber.

»Jetzt kann er mir doch Mississippi nicht mehr abnehmen,
oder?«, fragte Emma.

Dolly schüttelte den Kopf. »Aber weißt du was? Wir sollten
trotzdem hingehen. Zu Klipperbuschs Hof, mein ich. Wir
werden diesem Kerl eine böse Überraschung bereiten. Eine
sehr böse. Aber das besprechen wir morgen. Mit wachen
Köpfen.«

»Machen wir.« Emma gähnte und öffnete die Stalltür. Zottel, Tom und Jerry drängten sich an ihren Beinen vorbei und warfen sich ins Stroh.

»Na, jetzt hast du ja auch wieder reichlich Gesellschaft.« Dolly gab Emma einen Kuss auf die Backe. »Schlaf gut. Und danke, dass ihr zwei mich beschützen wolltet. Das war wirklich nett von euch. Und mutig. Dumm, aber mutig. Gute Nacht.«

»Gute Nacht«, sagte Emma. Sie guckte Dolly noch nach, wie sie zum Haus zurückging. Zwei Katzen huschten hinter ihr her und schlüpften mit ins Haus.

Emma schloss die Stalltür und ging durch das raschelnde Stroh zu Mississippi.

»Jetzt ist alles in Ordnung«, flüsterte sie. »Du brauchst dir keine Sorgen mehr zu machen.«

Dann kroch sie unter ihre Decke. Sie schaffte es gerade noch, ihre Schuhe auszuziehen, bevor sie einschlief. Mit drei Hundeschnauzen auf dem Bauch.

Als sie wieder wach wurde, schien die Sonne in den Stall. Mississippi und Aldo traten ungeduldig gegen die Wände ihrer Boxen und die drei Hunde stöberten im Stroh nach Mäusen. Emma zog den Wecker unterm Kissen hervor und stöhnte. Zehn Uhr. Sie hatte verschlafen. Und wie! Hastig zog sie ihre Schuhe an, lief zur Futterkiste und warf den Pferden schon mal ein paar Pellets in die Krippen. Dann holte sie frisches Wasser und brachte die zwei, nachdem sie gefressen hatten, raus auf die Koppel. Sie lief zum Haus rüber. Dolly und Knapps saßen noch in der Küche beim Frühstück.

»Na, auch verschlafen?«, fragte Dolly. »Wenn mir heute Morgen nicht meine Tigerkatze das Kinn geleckt hätte, läge ich immer noch schnarchend in deinem Bett. Und Knapps hier«, sie klopfte dem Tierarzt auf die Schulter, »der hat sich einfach selber krankgeschrieben.«

»Genau«, sagte Knapps mit vollem Mund. »Wie deine Großmutter in diesem Bett schlafen kann, ist mir ein Rätsel. Hätte ich bloß das Sofa genommen! Mein Rücken fühlt sich an, als hätte heute Nacht eine Herde Elefanten drauf getanzt. Ich könnte heute nicht mal einen Wellensittich auf den Behandlungstisch heben.«

»Also, ich fühl mich wunderbar.« Emma schüttete den Hunden Trockenfutter in ihre Näpfe und goss jedem etwas Milch drüber. Dann nahm sie sich ein Brötchen, ein Glas Milch und setzte sich neben Knapps an den Tisch.

»Ja, ich hab schon von eurer Geheimaktion gehört«, sagte er. »Und auch von Hinnerk, dem reuigen Sünder. Nur was ihr jetzt mit dem Alligator machen wollt, konnte ich noch nicht erfahren.«

»Dolly will hingehen«, sagte Emma und biss in ihr Brötchen.

Die weiße Katze sprang auf ihren Schoß, leckte sich das Mäulchen und schnurrte. Dick war sie geworden in den letzten Tagen. Dolly hatte wohl Recht gehabt, es würde bald kleine Kätzchen geben.

»So, so!« Knapps guckte Dolly besorgt von der Seite an. »Du willst hingehen. Willst dich auf deine alten Tage mit einem Verbrecher anlegen.« Er schüttelte den Kopf. »Ich finde, du solltest den Rest der Polizei überlassen. Sei froh, dass Hinnerk die ganze Sache entschärft hat. Und überlass den Alligator seinem Schicksal. Er ist übrigens zurück. Leos Mutter hat sein Auto gesehen. Sie hat's mir erzählt, als ich heute Morgen Brötchen gekauft habe.«

»Ja, ja, natürlich ist er da«, sagte Dolly. »Um Mississippi entgegenzunehmen.« Sie lachte. »Oh, Knapps, ich freu mich jetzt schon auf sein dummes Gesicht. Das kann ich mir einfach nicht entgehen lassen. Und Polizei? Nein, dem Gansmann möchte ich selbst einen Denkzettel verpassen. Und ich hab auch schon einen Plan. Emma nehm ich diesmal mit, weil sie sich sonst wieder in mein Auto schmuggelt.«

»Genau«, sagte Emma.

»Und du, Knapps«, Dolly goss dem Tierarzt noch einen Kaffee ein, »du kommst natürlich auch in meinem Plan vor.«

»Ich?«, rief Knapps entgeistert.

»Ja, du«, sagte Dolly. »Du hast doch dieses wunderbare kleine Diktiergerät.«

Knapps runzelte die Stirn. »Was willst du denn damit?«

»Erklär ich dir gleich«, sagte Dolly. »Wir brauchen auch einen Pferdetransporter. Kannst du uns den besorgen? Bis, sagen wir, sechzehn Uhr?«

»Natürlich«, Knapps nickte. »Aber ...«

»Kein ›aber‹«, sagte Dolly. »Du willst doch bestimmt auch, dass dieser Kerl eine Strafe kriegt, oder?«

»Natürlich.« Knapps seufzte. »Der Kerl ist eine echte Plage.«

»Na, siehst du.« Dolly scheuchte die weiße Katze vom Tisch und lehnte sich zurück. »Dann hört jetzt gut zu. Ich hab mir Folgendes ausgedacht ...«

»Achtzehn Uhr« hatte in dem Erpresserbrief gestanden.
Um Punkt siebzehn Uhr dreißig waren alle Vorbereitungen
für Dollys Plan getroffen.

Max und Leo standen vor dem Tor und guckten beleidigt
zu, wie Zottel ins Auto sprang.

»Ihr wollt ihm doch Mississippi nicht wirklich geben?«,
fragte Leo.

»Natürlich nicht«, sagte Emma. »Passt gut auf Tom und
Jerry auf.«

»Ja, ja!« Max biss sich auf die Lippen. »Verrat uns nur kurz,
was ihr vorhabt.«

»Keine Zeit.« Emma winkte den beiden zu und kletterte auf
den Beifahrersitz. »Wir erzählen euch alles, wenn wir
zurückkommen.«

»Warum dürfen wir denn nicht mit?«, maulte Max. »Das ist
gemein. Wir könnten uns doch verstecken. Du glaubst gar
nicht, wie winzig klein wir uns machen können, Dolly.«

»Nein«, sagte Dolly und stieg ins Auto. »Euer Vater würde mir nie mehr ein frisches Brötchen verkaufen, wenn ich euch mitnähme.« Sie guckte Emma an. »Startklar?«

Emma nickte. Das Herz klopfte ihr bis zum Hals.

Zottel schleckte sich auf dem Rücksitz geräuschvoll die Pfoten.

»Dem Kerl werden wir's zeigen«, sagte Dolly. Dann startete sie den Motor und setzte vorsichtig aus dem Tor heraus.

»Wo willst du denn mit dem Pferd hin, Dolly?«, fragte Elsbeth Dockenfuß, als der Pferdeanhänger an ihr vorbeifuhr.

»Das wirst du noch früh genug erfahren, Elsbeth!«, rief Dolly zurück. »Spätestens morgen. Da werdet ihr alle ordentlich was zu klatschen haben. Für Wochen wird das reichen, ach was, für Monate.«

Dann fuhr sie mit Emma zum Dorf hinaus.

Der Alligator wartete schon auf sie.

Mit selbstzufriedenem Lächeln lehnte er an seinem Auto.

»Na warte, mein Lieber«, murmelte Dolly, als sie auf ihn zufuhr. »Das Grinsen wird dir gleich aus dem Gesicht fallen.« Sie bremste so knapp vor dem Auto des Alligators, dass er erschrocken die Hände hob.

»He!«, rief er. »Was soll das denn? Passen Sie auf meinen Wagen auf, ja?«

Dolly stieg mit Emma aus und öffnete die hintere Autotür.

Mit einem Satz sprang Zottel heraus. Schnuppernd hob er die Schnauze.

»Halt, halt. Sperren Sie den Köter wieder ein«, sagte der Alligator. »Wer hat gesagt, dass Sie den mitbringen sollen?«

»Der Hund muss pinkeln«, antwortete Dolly. »Wollen Sie ihm das verbieten? Ich tu's nicht.«

Zottel trottete über den Hof und beschnüffelte jeden Stein. Ärgerlich sah der Alligator ihm nach.

»Sie haben Angst vor Hunden, was?«, fragte Emma. »Zottel ist nicht gefährlich. Er tut nur Leuten was, die er nicht mag. Dann kann er schon mal fies werden. Aber Sie sind ja so ein netter Mensch. Entführen seine Hundefreunde, drohen sie umzubringen. Da mag er Sie bestimmt. Was, Zottel?«

Der große Hund sah sich nach ihr um, wedelte mit dem Schwanz und schnüffelte sich weiter über den Klipperbusch-Hof.

»Sehr witzig«, brummte der Alligator. »Was hast du hier eigentlich zu suchen? Wärst du nicht zu Hause besser aufgehoben?«

Emma guckte ihn finster an.

»Das Pferd ist schließlich meins, oder?«, fauchte sie.

»Nicht mehr lange.« Albert Gansmann setzte wieder sein selbstzufriedenes Lächeln auf. »Aber weißt du was? Ich bin großzügig. Du kannst es in meinen Stall bringen. Dann muss ich mir nicht die Schuhe schmutzig machen.«

»Moment, Moment«, Dolly legte Emma den Arm um die Schultern. »So weit sind wir noch lange nicht. Woher weiß ich denn, dass es meinen Hunden gut geht? Ihnen würde ich auch zutrauen, dass Sie sie längst in die ewigen Jagdgründe geschickt haben.«

Der Alligator machte einen Schritt auf Dolly zu. »Wissen Sie was? Den ganzen Ärger haben Sie nur, weil Sie zu stur waren mir zurückzugeben, was mir rechtmäßig gehört. So sieht es doch aus.«

Dolly guckte ihn ungerührt an. »Wie geht es meinen Hunden?«, fragte sie noch mal.

»Gut!«, schnauzte der Alligator. »Hervorragend. Und jetzt laden Sie mein Pferd aus!«

Zottel trottete von hinten auf ihn zu und schnüffelte an seinem Hosenbein. Als der Alligator die Hundeschnauze an der Wade spürte, fuhr er zusammen und wurde steif wie ein Brett.

»Verdammt noch mal!«, flüsterte er. »Sperren Sie jetzt endlich diesen Köter ins Auto!«

Dolly grinste.

»Komm, Zottel«, sagte sie und packte den großen Hund am Halsband. »Da hat jemand Angst gefressen zu werden. Als ob dir so einer schmecken würde, was?«

Sie kurbelte das Autofenster runter, bugsierte Zottel auf den Rücksitz und machte die Tür hinter ihm zu.

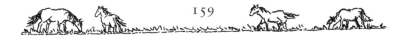

Erleichtert lehnte der Alligator sich an seinen Kotflügel. »Na, endlich«, sagte er. »Und nun das Pferd.«

»Du meine Güte, hat der Mensch das eilig!«, seufzte Dolly. »Wollen Sie nicht erst mal Ihren netten Brief wiederhaben? So einen echten Erpresserbrief schreibt man doch nicht alle Tage. Sie könnten ihn rahmen und übers Bett hängen.«

»Sehr witzig.« Der Alligator rückte sich die Krawatte zurecht. »Aber Sie haben Recht. Den Brief und die Kopie vom Kaufvertrag können Sie mir jetzt schon geben. Damit wir das später nicht vergessen.«

»Emma«, Dolly stieß sie mit dem Ellbogen an. »Hast du sie dabei?«

Emma nickte.

»Du bist hoffentlich nicht auf die dumme Idee gekommen, noch eine Kopie zu machen?«, fragte der Alligator. »Das wäre sehr ungesund für die Hunde deiner Großmutter.« Er streckte die Hand aus. »Na, nun gib schon her.«

Emma griff in ihre Jackentasche – und hielt vor Schreck die Luft an.

Da war Leo. Im Gebüsch beim Pferdestall. Als er sah, dass Gansmann ihm den Rücken zudrehte, huschte er geduckt über den Hof und verschwand hinter dem Auto des Alligators.

»Was guckst du denn so?«, fragte der Alligator ungeduldig. »Her mit den Papieren. Aber ein bisschen plötzlich.«

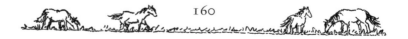

»Ja, ja!«, murmelte Emma. Sie zwang sich, nicht zu dem Auto rüberzusehen. Stattdessen fummelte sie in ihrer Hosentasche herum, als kriege sie den Brief und die Kopie nicht raus.

Als sie dem Alligator die Papiere in die Hand drückte, zitterten ihre Finger ein bisschen. Leo machte gerade die Fahrertür auf – ohne das geringste Geräusch.

»Na, bitte!«, sagte Gansmann. Misstrauisch guckte er sich erst die Kopie des Kaufvertrags und dann seinen Brief an. Emma warf schnell einen Blick auf seinen Wagen. Die Fahrertür stand noch offen, aber Leo war nirgends zu entdecken.

Erleichtert guckte Emma zu Dolly hinüber, aber die hatte Leo offenbar nicht bemerkt. Sie war gerade dabei, die Tür vom Pferdeanhänger zu öffnen.

Der Alligator steckte die Papiere in die Innentasche seiner Jacke. »Geht das nicht schneller?«, rief er Dolly zu.

Dolly kletterte in den Anhänger – und führte Aldo heraus. Dem Alligator sprangen fast die Augen aus dem Kopf.

»Was soll das denn?«, brüllte er. »Wollen Sie mich veralbern? Das ist nicht Mississippi.«

»Ach, wirklich?« Dolly tätschelte dem Wallach den Hals. »Tja, Gansmann, ich muss Ihnen sagen, wir veralbern Sie schon die ganze Zeit. Emma, bring mir das Band, ja?«

»Das Band?« Der Alligator schnitt Emma den Weg ab,

packte sie unsanft und zerrte ihr die Jacke auf. Das Diktiergerät von Knapps klebte mit Paketband an ihrem Pullover. Es lief immer noch.

»Lassen Sie mich los!« Emma versuchte sich frei zu kämpfen, aber Gansmann hatte sie fest gepackt. Mit einem Ruck riss er ihr das Diktiergerät ab und stieß sie zu Boden.

»Das wird Ihnen noch Leid tun!«, brüllte er Dolly zu. »Ich mache Hackfleisch aus Ihren Hunden.«

»Wir machen Hackfleisch aus dir!«, brüllte Max. Mit lautem Gebrüll stürmte er hinter dem Wagen des Alligators hervor. Leo kam von der anderen Seite.

Die beiden Jungen rannten gegen den Alligator, packten seine Beine und rissen ihn um.

Mit einem Wutschrei landete er im Dreck. Das Diktiergerät flog ihm aus der Hand, genau vor Emmas Füße. Schnell hob sie es auf und lief damit zu Dolly.

Die hatte große Mühe den aufgeregten Aldo zu halten.

Emma sah sich um. Max und Leo saßen auf dem Alligator und drückten seine zappelnden Arme und Beine aufs Pflaster.

»Könnt ihr ihn noch einen Moment halten?«, fragte Dolly.

»Klar!«, sagte Max. »Ist uns ein echtes Vergnügen.«

»Ich dreh den Hunden die Gurgel um!«, brüllte der Alligator.

Dolly trat neben ihn und lächelte spöttisch auf ihn herunter.

»Wissen Sie was? Sie haben meine Hunde gar nicht mehr, Sie Dummkopf. Hinnerk hat sie mir längst zurückgegeben.«
Das verschlug dem Alligator ein paar Atemzüge lang die Sprache. Aber er erholte sich schnell.

»Na und?«, schrie er. »Das Tonband nutzt Ihnen gar nichts! Das wird vor Gericht nicht anerkannt. Und die Rotzbälger als Zeugen können Sie auch vergessen!«

»Ich weiß, ich weiß.« Dolly ging zu ihrem Wagen, öffnete die Hintertür und zog die Hundedecken zur Seite.

»Na, Knapps?«, fragte sie. »Hast du alles mitbekommen?« Stöhnend, mit zerzaustem Haar schwang der Tierarzt seine langen Beine aus dem Kofferraum. »Du meine Güte, Dolly«, sagte er. »So was mach ich wirklich nur für dich. Wahrscheinlich krieg ich meine Beine nie wieder gerade.«

»Ja, ja, wir sind dir ja auch zu großem Dank verpflichtet, mein Lieber.« Dolly zog ihn mit sich zu dem flach gelegten Alligator. »Darf ich vorstellen? Das ist Doktor Aaron Knapps, Tierarzt von Beruf und vor Gericht bestimmt ein gern gesehener Zeuge.«

»Der alles Wort für Wort mitbekommen hat«, fügte Knapps hinzu. »Dank seiner vorzüglichen Ohren und dem offenen Autofenster.«

Der Alligator stöhnte und schloss die Augen. Ihm fiel nichts mehr ein.

»Lasst ihn aufstehen, Jungs«, sagte Dolly.

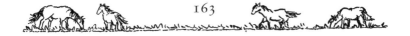

»Sollen wir nicht besser auf ihm sitzen bleiben, bis er verhaftet wird?«, fragte Leo.

Dolly schüttelte den Kopf. »Das ist nicht nötig. Wir fahren jetzt gleich alle zur Polizei, machen unsere Aussagen und dann werden die den feinen Herrn demnächst besuchen.«

»Na gut!« Widerwillig ließen die Jungs von ihrem Gefangenen ab.

Der Alligator rappelte sich hoch, klopfte sich den Anzug ab und ging ohne ein weiteres Wort zu seinem Wagen.

Als er einstieg, stießen Max und Leo Emma an und grinsten.

»Wo ist mein Autoschlüssel?«, knurrte der Alligator aus dem Beifahrerfenster.

»Hier!« Leo griff in die Hosentasche und hielt den Schlüsselbund hoch. »Aber sie müssen ›bitte‹ sagen, sonst landet er im Gülletank.«

»Bitte!« Der Alligator spuckte Leo das Wort vor die Füße.

»Na gut, ich bin ja nicht so«, sagte Leo und warf ihm die Schlüssel durchs Autofenster.

Mit quietschenden Reifen fuhr der Alligator vom Hof.

Dolly, Knapps und Emma grinsten sich an.

»Wie haben wir das gemacht?«, fragte Dolly.

»Perfekt«, sagte Emma. »Absolut perfekt. Aber die zwei hier«, sie stieß Max und Leo an, »die waren auch nicht schlecht, oder?«

»Na ja«, Leo zuckte die Achseln, »nur schade, dass wir den Alligator laufen lassen mussten.«

»Wieso, was wolltest du denn mit ihm machen?«, fragte Knapps interessiert.

»Och. Zum Beispiel an den Baum da binden«, sagte Max.

»Und hoffen, dass es regnet«, meinte Leo.

»Stimmt.« Dolly grinste. »Das hätte mir auch gefallen. Aber wir sind ja nette Menschen, nicht wahr?«

»Sehr nette«, sagte Knapps. »Und deshalb fährst du mich jetzt auch nach Hause. Ich brauch dringend ein heißes Bad.«

»Kein Problem.« Dolly griff durch das offene Autofenster und kraulte Zottel den Kopf. »Was ist mit euch, Rotzgören?«

»Also ich reite nach Hause.« Emma ging zu Aldo und klopfte ihm beruhigend den Hals. »Was, Alter? Das gefällt dir doch sicher besser als wieder in der Blechbüchse da zu fahren.«

»Wir haben unsere Fahrräder dahinten im Gebüsch«, sagte Max.

»Gut«, Dolly gab Emma Aldos Halfter und stieg ins Auto. »Dann erklär ich die Geheimaktion ›Alligator‹ hiermit für erfolgreich beendet.«

Emma fütterte Mississippi zur Feier des Tages mit einem Riesenbündel Möhren. Und in die Mähne band sie ihr rote Schleifen. Als Emma die Bänder aus Klipperbuschs Satteltasche zog, wurde die Stute ganz aufgeregt. Ständig stupste sie Emma mit dem Maul an, scharrte mit dem Huf im Stroh und schnaubte. Wahrscheinlich erinnert sie das an Klipperbusch, dachte Emma und packte die Satteltasche schnell wieder weg.

Sie bürstete Missi die Mähne. Sonst gefiel der Stute das immer sehr gut, aber diesmal trat sie dabei bloß unruhig von einem Bein aufs andere. Sie beruhigte sich erst wieder, als Emma sie zu Aldo auf die Koppel rausbrachte.

Der Wallach beschnüffelte Mississippis Schleifen zuerst ausgiebig und dann zupfte er sie, während sie neben ihm graste, geduldig mit den Zähnen aus ihrer Mähne.

»Sieht so aus, als ob Aldo sie ohne Schleifen schöner findet, was?«, sagte Emma, als sie mit Dolly am Koppelzaun lehnte.

»Scheint so«, antwortete Dolly und lächelte.

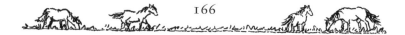

Emma seufzte zufrieden. Sie blinzelte in die Abendsonne, die über den Bäumen hing. »Jetzt kann sie mir wirklich niemand mehr wegnehmen«, murmelte sie.

»Nein, niemand.« Dolly pflückte eine Schnecke vom Zaun und setzte sie ins Gras. »Obwohl ich da bis gestern so meine Zweifel hatte.«

»Wieso das denn?« Erschrocken guckte Emma ihre Großmutter an.

Dolly zupfte sich am Ohrläppchen. »Na ja, wenn man es genau nimmt, war Gansmann ja nur bis zu dem Moment, in dem er uns Missi verkaufte, Klipperbuschs Erbe. Durch den Verkauf war er es dann plötzlich nicht mehr, wenn man Frau Strietzel glauben darf. War unser Kaufvertrag also überhaupt gültig? Oder gehörte Mississippi da schon längst dem Tierschutzverein?«

»Oje!«, stöhnte Emma.

»Keine Sorge!« Dolly lächelte. »Ich wollte dich nicht unnötig beunruhigen, also hab ich Knapps gebeten sich für uns mal bei einem Anwalt schlau zu machen. Und der hat gesagt, dass Missi dir auf jeden Fall gehört. Beruhigt?«

»Allerdings!«, seufzte Emma.

Ihr Herz schlug sofort wieder ruhiger.

»Weißt du was?«, sagte sie. »Als ich Missi die Schleifen in die Mähne gebunden hab, ist sie ganz nervös geworden. Ob sie es vielleicht nicht mag, so aufgedonnert zu werden?«

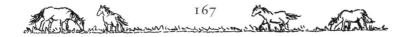

»Kann sein!« Dolly guckte auf die Weide, wo Mississippi sich gerade genüsslich im Gras wälzte. »Aber vielleicht war sie auch aufgeregt, weil Klipperbusch sie meistens geschmückt hat, bevor sie zusammen ausritten. Wer weiß, vielleicht wurde sie gern mal wieder durchs Dorf reiten.«

»Meinst du?« Emma guckte zu Mississippi und Aldo hinüber. Die beiden standen Seite an Seite und rieben ihre Hälse aneinander.

Dolly zuckte die Schultern. »Könnte doch sein, oder? Vielleicht solltest du es mal versuchen, wenn die ganze Aufregung wegen dem Testament vorbei ist. Das Wichtigste beim Reiten ist doch, dass das Pferd den Reiter mag. Und jeder, der ein bisschen was von Tieren versteht, sieht, dass Missi ganz vernarrt in dich ist. Man braucht sich nur anzugucken, wie zärtlich sie immer deine Pullover zerknabbert.«

Emma lachte. »Stimmt«, sagte sie. »Aber ich reite sie wirklich nur, wenn sie auch Spaß dran hat. Wann ist noch mal die Testamentseröffnung?«

»In zwei Tagen«, antwortete Dolly. »Und ich kann dir sagen, ich bin heilfroh, wenn der ganze Ärger vorüber ist.«

»Ich auch«, murmelte Emma.

»Kommst du mit rein?«, fragte Dolly. »Es wird kühl. Und dunkel wird es bestimmt auch bald. Wir könnten uns den Rest von der fabelhaften Suppe warm machen, die du gestern gekocht hast.«

Emma nickte. »Ich komm gleich. Ich bring nur noch die Pferde in den Stall.«

Im Pferdestall war es noch warm von der Nachmittagssonne. Emma stellte Aldo und Missi in ihre Boxen, streute ihnen etwas Hafer in die Krippen und fischte einen zappelnden Käfer aus Missis Wassereimer. Dann öffnete sie die Kiste mit Missis Sattelzeug, holte den Sattel und das Zaumzeug heraus und putzte beides sorgfältig.

Als sie den Sattel über die Tür der dritten, leeren Box hängte, hörte sie ein leises Miauen. Ganz hinten in der Ecke lag die weiße Katze im Stroh. Mit vier kleinen Kätzchen, die gierig an ihren Zitzen tranken.

Ganz leise schlich Emma sich näher. »Na, Weiße?«, flüsterte sie und kniete sich neben sie. »Das sind aber hübsche Kinder. Sehen ja alle fast so aus wie du.«

Die Weiße sah sie an und gähnte.

»Du hast dir aber einen schlechten Tag ausgesucht«, sagte Emma. »In der ganzen Aufregung haben wir an dich überhaupt nicht gedacht. Aber weißt du was? Ich hol dir etwas zu fressen und zu trinken. Bin gleich zurück.«

Schnell wie der Blitz rannte sie zum Haus hinüber. Der Himmel war schon etwas dunkel, ein kräftiger Wind war aufgekommen und die Blätter des großen Walnussbaumes rauschten, als flöge ein riesiger Schwarm Vögel über Emmas Kopf.

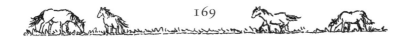

Dolly stand in der Küche, den Telefonhörer am Ohr und einen Holzlöffel in der Hand, mit dem sie Emmas Suppe umrührte. »Alma«, sagte sie gerade. »Wir müssen aufhören, sonst brennt mir die Suppe an. Den Rest erfährst du morgen.«

»Dolly«, Emma schnappte nach Luft, »die Weiße hat ihre Jungen.«

»Du liebe Güte!« Dolly nahm den Topf vom Herd. »Das auch noch. Wie viele sind es denn?«

»Vier«, sagte Emma. »Ich will ihr gerade was zu essen und zu trinken bringen.«

»Mach das«, sagte Dolly. »Aber beeil dich, sonst ist die Suppe kalt. Mein Gott, was ist das für ein Tag!«

Als sie endlich zusammen am Tisch saßen, klingelte viermal das Telefon. Aber Dolly ging nicht ran.

»So geht das jetzt schon, seit ich im Haus bin«, seufzte sie. »Leo und Max haben drüben ihre Heldentaten erzählt. Daraufhin hat ihre Mutter sich ans Telefon gehängt und mich gefragt, ob ihre Sprösslinge übergeschnappt sind oder ob die Geschichte vielleicht doch ein Körnchen Wahrheit enthält. Danach hat sie bestimmt sofort sämtliche Nachbarn informiert. Also macht die ›Aktion Alligator‹ jetzt die Runde durch das ganze Dorf und morgen früh sind die Nachbardörfer auch informiert. Entführung, Erpressung – so was

Aufregendes ist hier seit mindestens dreißig Jahren nicht mehr passiert.« Sie lachte. »Ich bin gespannt, was bis morgen aus der Geschichte geworden ist. Wahrscheinlich hatten wir es dann schon mit einer ganzen Bande zu tun und geschossen wurde bestimmt auch. Aber weißt du, was das Praktische daran ist?«

Emma schüttelte den Kopf.

»Ich kann jeden, der anruft, gleich fragen, ob er ein süßes kleines Kätzchen zur Mäusejagd brauchen kann«, sagte Dolly. »So hat die ganze Tratscherei dann wenigstens doch noch ihr Gutes. Willst du heute Nacht wieder im Stall schlafen?«

»Klar«, sagte Emma. »Es ist gemütlich. Außerdem – vielleicht fällt dem Alligator ja doch noch irgendeine Gemeinheit ein. Man weiß ja nie.«

Emma sah den Alligator erst bei der Testamentseröffnung wieder. In der Stadt, im Amtsgericht. Mit verkniffenem Mund saß er drei Stühle weiter vor dem Schreibtisch des Rechtspflegers, der das Testament vollstreckte. Frau Strietzel war auch da. Ihren fürchterlichen Schnupfen hatte sie immer noch. Barnabas saß unter ihrem Stuhl und kaute hingebungsvoll auf seiner Leine herum.

»Guten Morgen«, sagte der Rechtspfleger, »mein Name ist Unke. Sie sind hierher geladen worden zur Eröffnung des Testaments von Johann Klipperbusch. Seine Haushälterin, Frau Strietzel, die auch seinen Tod meldete, war so freundlich, uns die Namen aller im Testament Begünstigten mitzuteilen. Ich stelle für das Protokoll kurz die Anwesenheit fest.« Er räusperte sich. »Herr Albert Gansmann?«

Der Alligator nickte ihm mit finsterer Miene zu.

»Frau Dora Strietzel?«

»Hier!« Frau Strietzel hob den Finger wie ein Schulmädchen. »Das bin ich.«

»Und Frau Dolores Blumentritt.«

»Zur Stelle«, sagte Dolly.

»Gut«, Herr Unke nickte zufrieden. »Dann eröffne und verlese ich jetzt Johann Klipperbuschs Testament.« Er hielt einen versiegelten Umschlag hoch. »Wie Sie sich alle überzeugen können, ist das Siegel unversehrt.« Der Rechtspfleger brach es mit geübtem Griff und zog ein dicht beschriebenes Blatt Papier hervor. Er räusperte sich noch einmal, guckte in die Runde und las:

»›Hiermit verfüge ich, Johann Klipperbusch, im vollen Besitz meiner geistigen Kräfte, dass mein Neffe Albert Gansmann all meinen Grundbesitz in Abendrade, als da sind Grund und Boden, Ställe und ein Wohnhaus samt Möbeln, erbt sowie mein Pferd Mississippi, allerdings unter einer Bedingung: Er darf dieses Pferd nie verkaufen und muss es nach bestem Vermögen pflegen, bis zu Mississippis hoffentlich sehr spätem natürlichen Tod. Die Stute bekommt jeden Sonntag einen Riegel Schokolade und an Mississippis Geburtstag, dem 14. April, soll mein Neffe mit ihr mein Grab besuchen. Erfüllt er diese Bedingungen nicht, so fällt der oben benannte Besitz an den örtlichen Tierschutzverein in Nettelstedt.‹«

Herr Unke hob den Kopf und sah Albert Gansmann an.

»Können Sie die im Testament benannten Bedingungen erfüllen?«

»Nein«, knurrte der Alligator. »Das kann ich nicht. Aber ich werde dieses alberne Testament anfechten. Darauf können sich die hier Anwesenden verlassen.«

»Tun Sie das, Gansmann«, sagte Dolly. »Aber ich finde, Sie haben sich schon lächerlich genug gemacht, oder?«

Der Alligator guckte Dolly so finster an, dass Frau Strietzel nervös zu kichern begann.

Herr Unke räusperte sich. »Ich fahre fort«, sagte er. »Johann Klipperbusch schreibt weiter: ›Meiner Haushälterin Dora Strietzel vererbe ich all meine Kochtöpfe, mein Porzellan, von dem sie ohnehin schon das meiste zerschlagen hat, alle Putzmittel sowie den Teppich in meinem Schreibzimmer, den ihr Hund Barnabas bereits ausgiebig angeknabbert hat.‹«

Dora Strietzel lächelte gequält und kraulte Barnabas den Specknacken.

»›Schließlich‹«, fuhr Herr Unke fort, »›hinterlasse ich meiner alten Liebe Dolly Blumentritt mein Lieblingsbuch, das bemerkenswerteste Buch, das je geschrieben wurde, *Tom Sawyer und Huckleberry Finn*. Sie ist die Einzige, die es wirklich zu schätzen weiß.‹«

Herr Unke faltete Klipperbuschs Testament zusammen und steckte es sorgfältig zurück in seinen Umschlag.

»Und was ist mit seinen Wertpapieren?«, rief der Alligator. »Wo hat er sein ganzes Geld hingeschafft? Im Haus ist es nicht. Und bei der Bank wissen sie auch nicht, wo es geblieben ist. Hat er es vielleicht vergraben? Will er, dass es irgendwo in der Erde verschimmelt?«

»Tut mir leid«, Herr Unke lehnte sich auf seinem Stuhl zurück. »Davon ist in diesem Testament nichts erwähnt.«

»Aber er hatte doch was!«, brüllte der Alligator. »Er hat mir die Wertpapiere doch gezeigt. Stapel davon. Wo sind sie? Hat er seinen Kamin damit geheizt? Oder hat er sie an diese dämliche Stute verfüttert?«

»Etwas leiser, bitte, Herr Gansmann«, sagte Herr Unke. »Ich glaube, keiner im Raum hier ist schwerhörig oder will es durch Ihr Gebrüll werden. Frau Strietzel, Frau Blumentritt, nehmen Sie das Ihnen zugedachte Erbe an?«

Frau Strietzel nickte mit hochrotem Kopf.

Dolly lächelte. »Natürlich«, sagte sie. »Ich werde das Buch in Ehren halten. Ist eine wunderbare Gelegenheit es mal wieder zu lesen. Aber ich werde wohl aufpassen müssen, dass es nicht auseinander fällt. Klipperbusch hat ja ständig darin geschmökert.«

»Oh, es ist in sehr gutem Zustand«, sagte Herr Unke und holte einen dicken Umschlag aus dem Schreibtisch. »Es handelt sich wirklich um ein bemerkenswertes Exemplar.«

»Schluss. Ich gehe!« Der Alligator schob seinen Stuhl so heftig zurück, dass Barnabas sich hinter Frau Strietzels Beinen versteckte. »Ich habe Besseres zu tun als mir dieses dumme

Gerede über ein altes Buch anzuhören. Mein Onkel muss wirklich völlig debil gewesen sein, als er dieses Testament aufgesetzt hat.«

Ärgerlich ging er auf die Tür zu.

»Welches Testament, genau, meinen Sie denn, Herr Gansmann?«, rief Herr Unke ihm nach. »Ihr Onkel hat nämlich zwei Testamente hinterlassen.«

Der Alligator blieb wie angewachsen stehen.

Herr Unke lehnte sich mit zufriedenem Lächeln in seinem Stuhl zurück.

Alle Anwesenden guckten ihn sprachlos an. Emmas Herz schlug schon wieder viel zu schnell.

»Nun, wie ich sehe, ist das für alle Anwesenden eine Überraschung, nicht wahr?« Herr Unke hielt den Umschlag mit Klipperbuschs erstem Testament hoch. »Etwa zwei Wochen nachdem er das soeben verlesene Testament hinterlegt hatte«, fuhr der Rechtspfleger fort, »gab Johann Klipperbusch dies hier ab.«

Herr Unke blickte einmal in die Runde und hielt dann den dicken Umschlag, den er aus dem Schreibtisch geholt hatte, hoch. »Sie sehen, auch dieser Umschlag ist ordnungsgemäß versiegelt.«

Der Alligator kehrte unauffällig an seinen Platz zurück. Wieder brach Herr Unke das Siegel, öffnete den Umschlag und griff hinein.

»Um Gottes willen«, Frau Strietzel lehnte sich so weit vor, dass sie fast vom Stuhl kippte. »Machen Sie es doch bitte nicht so spannend!«

»Warum nicht?«, fragte Herr Unke und lächelte sie freundlich an. »Der Verstorbene wollte es doch offensichtlich ein bisschen spannend machen, oder?« Er sah Emma an. »Was meinst du, junge Dame, was ist in dem Umschlag?«

»Keine Ahnung!«, antwortete Emma.

Herr Unke zog ein Buch aus dem Umschlag.

»Dies ist Johann Klipperbuschs Exemplar von *Tom Sawyer*«, verkündete er. »Die Erbschaft von Frau Blumentritt.«

»Also, jetzt versteh ich überhaupt nichts mehr!«, stöhnte Frau Strietzel.

»Halten Sie den Mund!«, knurrte der Alligator und guckte Herrn Unke an. »Was soll das mit dem Buch?«

Herr Unke beugte sich über seinen Schreibtisch und hielt das Buch Emma hin. »Ich nehme an, du bist Frau Blumentritts Enkeltochter. Deshalb möchte ich dich bitten, mal die erste Seite aufzuschlagen.«

Emma gehorchte.

»Da ist was reingeschrieben worden«, sagte sie erstaunt. »Mit der Hand. Aber die Schrift ist ziemlich krakelig. Die kann ich nicht lesen.«

Neugierig lugte Frau Strietzel über Emmas Schulter. Der Alligator rutschte unruhig auf seinem Stuhl herum.

Nur Dolly rührte sich nicht.

»Klipperbusch, Klipperbusch«, murmelte sie. »Was hast du nun wieder ausgeheckt?«

Emma gab Herrn Unke das Buch zurück.

Der räusperte sich, zwinkerte Emma zu und las:

»›Ich, Johann Klipperbusch, im Vollbesitz meiner nicht allzu großen geistigen Kräfte, vermache Dolly Blumentritt hiermit mein Haus in Amerika. Sie wollte zwar dort nicht mit mir zusammen leben, aber vielleicht findet sie nach meinem Tod Gefallen an dem Haus. Schließlich war Dolly schon immer abenteuerlustig. Gezeichnet, Johann Klipperbusch.‹«

»Ich fass es einfach nicht!« Der Alligator sprang auf wie von der Tarantel gestochen. »Da ist sein Geld! Er hat sein Geld in Amerika ausgegeben. Na, fabelhaft!« Wutschnaubend stürzte er auf Dolly zu. »Erst bringen Sie mich um mein Erbe und dann kriegen Sie auch noch den besten Teil!«

»Lassen Sie meine Großmutter in Ruhe!«, rief Emma und stellte sich ihm in den Weg. »Sie Fiesling, Sie widerlicher Erpresser, Sie, Sie Alligator!«

Und dann trat sie ihm gegens Schienbein. Ganz fest.

Der Alligator landete auf Frau Strietzels Schoß.

Darauf begann diese wie am Spieß zu schreien, Barnabas sprang unter ihrem Stuhl hervor und verbiss sich im linken Schuh des Alligators.

»Ruhe!«, rief Herr Unke. »Ich bitte doch sehr um Ruhe!«

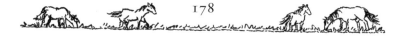

Als keiner auf ihn hörte, haute er mit dem Tom-Sawyer-Buch auf seinen Schreibtisch, aber auch das half nichts.

Da stand Dolly auf, pflückte den knurrenden Barnabas vom Schuh des Alligators, zog den an der Krawatte von Frau Strietzels Schoß und hielt Frau Strietzel den Mund zu.

Plötzlich herrschte Ruhe.

»Herr Unke«, sagte Dolly. »Können Sie mir auch sagen, wo in Amerika Klipperbuschs Haus steht?«

»Aber natürlich«, sagte Herr Unke. »Am oberen Mississippi. Den Namen des Ortes kann ich leider nicht aussprechen, aber ich werde Ihnen die Adresse aufschreiben.«

»Tun Sie das«, sagte Dolly und nahm Emma an die Hand. »Komm, wir gehen nach Hause. Zottel hat bestimmt schon den halben Wohnzimmerteppich aufgefressen.« Sie griff nach dem Tom-Sawyer-Buch. »Kann ich das mitnehmen?«

»Moment«, Herr Unke nahm eine Schere. »Sie haben doch sicher nichts dagegen.« Vorsichtig trennte er das Vorsatzblatt mit Klipperbuschs zweitem Testament heraus. »Das muß nämlich hier im Gericht bleiben. Als offizielles Dokument sozusagen. Verstehen Sie?«

»Natürlich«, sagte Dolly. »Solange Sie mir nicht was vom Text wegschnippeln. Den Anfang der Geschichte liebe ich nämlich ganz besonders.«

»In Amerika?« Max wurde ganz grün vor Neid.

»Mann, wir haben noch nie was in Amerika geerbt. Und da gewesen sind wir auch noch nie.«

Max und Leo saßen im Pferdestall auf der Haferkiste und guckten zu, wie Emma Mississippi schmückte.

»Ich auch nicht«, sagte Emma und wühlte in Klipperbuschs alter Satteltasche herum. »Da war doch irgendwo noch so ein Glöckchen.«

Aldo guckte misstrauisch aus seiner Box herüber. Ungeduldig trat er gegen die Holzwand.

»Ja, ja«, murmelte Emma. »Ihr kommt gleich raus. Missi ist sofort fertig.«

»Warum donnerst du sie denn so auf?«, fragte Max.

Emma klappte die Satteltasche zu und hängte sie wieder an ihren Haken. »Weil ich sie heute reiten werde«, sagte sie. »Ich werde mit Missi durchs Dorf reiten, genau wie der alte Klipperbusch.«

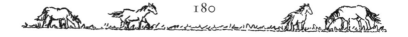

Sie ging zu der Kiste mit dem Sattelzeug, holte das Zaumzeug, die schöne Satteldecke und den Sattel heraus und ging
damit zurück zu Missi. Emma wusste genau, wie man ein
Pferd sattelt. Dolly hatte es ihr an Aldo gezeigt. Obwohl sie
ihn immer ohne Sattel ritt.

Mississippi stand ganz ruhig, als Emma ihr die Decke über-
warf. »Na, freust du dich?«, fragte Emma leise. Sie legte der
Stute Klipperbuschs Sattel auf und zog den Sattelgurt fest.
Missi blieb immer noch ganz ruhig.

»Du spinnst!«, brummte Max. »Die lässt sich nicht reiten.«

»Ach, ja?« Emma legte Missi ihr Zaumzeug und Aldo ein
Halfter an. »Nur weil sie den blöden Hinnerk abgeworfen
hat? Das kannst du ihr ja wohl nicht übel nehmen, oder?«
Sie schnalzte mit der Zunge und führte die beiden Pferde an
den Jungs vorbei ins Freie.

»Komm«, sagte Max und zog seinen Bruder hinter sich her.
»Das gucken wir uns an.«

Es war ein wunderschöner Tag. Die Sonne schien und ein
warmer Wind strich durch die Bäume. Dollys Katzen räkel-
ten sich auf den warmen Steinen, die Hühner scharrten im
Sand und Tom und Jerry lagen hechelnd im Schatten.

»Weiß Dolly, dass du Missi reiten willst?«, fragte Max.

»Nein, weiß sie nicht«, antwortete Emma. »Sie spielt mit
ihren Freundinnen Karten, bei Henriette. Aber sie würde es
ganz bestimmt erlauben.«

Mit einem Ruck öffnete sie das Gatter zur Koppel, band Missi am Zaun fest und nahm Aldo das Halfter ab. »Los, lauf«, sagte sie und gab ihm einen Klaps auf die Kruppe. »Du hast heute frei.«

Missi spitzte die Ohren, kaute auf dem Zaumzeug und guckte Emma an. Unruhig trat sie von einem Huf auf den andern.

»Die werden alle staunen, was?«, flüsterte Emma ihr zu.

»Dolly würde es dir nicht erlauben!« Max kletterte auf den Zaun. »Garantiert nicht. Ich wette, du fliegst zehn Meter weit und landest in Elsbeths Rosenbeeten.«

»Also, ich wette, Emma schafft es«, sagte Leo. Er ging zu Missi und streichelte ihr die Nase.

»Das sagst du nur, weil du in Emma verliebt bist!«, rief Max vom Zaun runter.

Leo schnitt ihm eine Grimasse. Verlegen guckte er zu Emma hin, aber die tat so, als hätte sie nichts gehört. Sie streichelte Mississippi den Hals, scheuchte ihr eine Fliege von der Nase und zupfte die Schleifen zurecht.

»Schön sieht sie aus, was?«, sagte sie leise. »Trotz der weißen Streifen.«

Leo nickte. »Wie ein Indianerpferd oder so was.«

Emma lächelte ihn an.

»He, wann geht's denn los da?«, rief Max. Er wippte auf dem alten Zaun herum, als würde er einen Büffel zureiten.

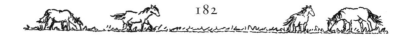

»Worum wetten wir?«, fragte Emma. »Na los, worum wetten wir, dass ich es schaffe?«

Max grinste. »Ich krieg einen Kuss, wenn du runterfliegst.«

»Von wem?«, fragte Emma spöttisch. »Von Missi?«

»Nein, von dir natürlich!«

Emma zuckte die Achseln. »Okay. Und was ist, wenn ich nicht runterfliege?«

»Dann kriegt Leo einen«, sagte Max. »Da ist er sowieso ganz scharf drauf.«

Leo machte wütend einen Schritt auf ihn zu. »Hör jetzt endlich auf, ja? Du bist ein Idiot.«

»Weiß ich!«, rief Max. »Aber meinen Kuss krieg ich trotzdem.«

»Kriegst du nicht.« Emma zog Leo zu sich. »Komm, reg dich nicht auf«, flüsterte sie. »Ich mach das schon. Der wird sich wundern. Halte du Missi, ja?«

Leo nickte. Er band Mississippis Zügel vom Zaun ab, führte sie ein paar Schritte auf die Weide hinaus und blieb dort mit ihr stehen.

»Na, Missi«, sagte Emma und legte ihre Hand an den Sattelknauf. »Wie wär's? Hast du Lust eine Runde durchs Dorf zu reiten?«

Die Stute zuckte mit den Ohren, schnaubte und sah sie an.

»Sie ist ganz ruhig«, sagte Leo.

Emma klopfte Missi noch mal den Hals, dann setzte sie vor-

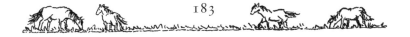

sichtig einen Fuß in den Steigbügel. Missi drehte neugierig den Kopf zu Emma hin, aber sie blieb ganz ruhig stehen. Emma holte tief Luft – und schwang sich in den Sattel.

Mississippi machte einen halben Schritt zurück, schüttelte die Mähne, dass Klipperbuschs Glöckchen nur so klingelten, und stupste Leo mit der Schnauze an.

»Brrr!«, sagte er und warf Emma die Zügel zu. »Ich glaube, sie nimmt dein Angebot an.«

Vorsichtig nahm Emma die Zügel in die Hand, presste ihre Schenkel gegen Mississippis Flanken und lenkte sie auf das Koppeltor zu.

Gemächlich ging die Stute durch das kurze Gras, vorbei an Max, der den Mund gar nicht wieder zubekam, vorbei an Zottel, der schlafend vor dem Tor lag, hinaus auf die Dorfstraße.

»Du meine Güte!« Elsbeth Dockenfuß ließ vor Schreck fast ihre Heckenschere fallen, als sie Emma sah. Ihr Radio stand wie immer auf der Gartenmauer und dröhnte so laut, dass man es noch in Proskes Autowerkstatt hören konnte. Mississippi scheute und wollte nicht weiter.

»Ruhig, Missi, ruhig!«, sagte Emma, zog die Zügel etwas fester und trieb die Stute mit sanftem Schenkeldruck an Frau Dockenfuß und ihrem Radio vorbei. Dann lenkte sie Missi über die schmale Straße zum Dorfteich hinüber.

Viel brauchte Emma nicht zu tun. Die Stute trottete genau

den Weg entlang, den Klipperbusch immer mit ihr geritten war: einmal um den Dorfteich herum, vorbei an der Bäckerei von Max' und Leos Eltern, an der Bushaltestelle und den Höfen, die an der Dorfstraße lagen.

Mississippis Hufe klapperten über den buckligen Asphalt. Emma fühlte sich wunderbar, so wunderbar wie noch nie in ihrem Leben. Sie sah zum Himmel hoch, guckte den treibenden Wolken nach und stellte sich vor ganz woanders zu sein, in einem wilden, weiten Land, durch das sie und Mississippi tagelang ritten ohne einem Menschen zu begegnen.

Ein kläffender Hund schreckte Emma aus ihren Träumen. Breitbeinig, kaum größer als ein Kaninchen stand er mitten auf der Straße und bellte sich heiser. Missi scheute und war nicht zu bewegen, an dem kleinen Ungeheuer vorbeizugehen.

Emma kannte den Hund. Er gehörte dem Schwiegersohn der dicken Henriette und kläffte jeden an, der sich dem Hof näherte. Emma konnte sich wirklich nur wundern, dass Henriettes Laden trotzdem immer voll war.

»Halt die Klappe, Zoppo«, sagte sie, warf dem Zwerg ein paar Hundekekse zu und trieb die unruhige Missi an ihm vorbei.

Dollys Auto stand hinterm Haus, da, wo Henriette ihren Garten hatte.

Emma ritt zum Zaun, lockerte Mississippis Zügel und ließ sie ihre Nase in Henriettes Rosen stecken.

Dolly und Henriette waren so vertieft in ihre Karten, dass sie Emma erst gar nicht bemerkten. Nur Alma hob den Kopf. Als sie Emma auf Mississippis Rücken sah, fiel ihr vor Schreck ein Keks in den Sherry.

»Dolly!«, rief sie. »Dolly, guck doch. Oh!« Sie presste sich die Finger vor die Augen. »Ich kann gar nicht hinsehen.«

»Mein Gott, Alma!«, sagte Dolly ohne von ihren Karten aufzugucken. »Was ist nun wieder? Ist eine Hummel in deinen Sherry gefallen?«

Emma grinste. Missi streckte den Hals noch etwas weiter über den Zaun, schnupperte an den Rosenknospen und schnaubte.

Da hoben auch Dolly und Henriette die Köpfe.

»Emma!«, rief Dolly. Ein bisschen erschrocken guckte sie schon.

»Ist sie nicht noch ein bisschen jung, um sich den Hals zu brechen?«, fragte Henriette und stopfte sich eine Gabel voll Torte in den Mund.

»Dolly, hast du ihr das erlaubt?«, fragte Alma atemlos.

Dolly runzelte die Stirn. »Ich fürchte, ich hab sie sogar auf die Idee gebracht.«

Emma grinste. »Na ja!«, sagte sie. »Ich werd mal wieder los. Ich wollte nur kurz ›hallo‹ sagen.«

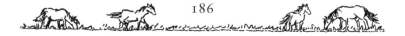

»Reite nicht an der Landstraße lang, ja?«, sagte Dolly und guckte wieder in ihre Karten. »Ich weiß nicht, wie Mississippi auf die Raser reagiert, die da vorbeischrubben.«

»Okay!«, sagte Emma. »Ich wollte sowieso nur noch mal um den Dorfteich reiten.«

»Hier«, Henriette schnitt ein Stück Torte ab, wickelte es in eine Serviette und schob es Dolly hin. »Sei eine nette Großmutter und gib das deiner Enkelin. Das Kind ist ja bestimmt schon halb verhungert bei deinen Kochkünsten. Aber scheuch das Pferd von meinen Rosen weg, ja?«

Schnell zog Emma Mississippi zurück.

»Oh, Entschuldigung, Henriette«, murmelte sie.

Aber Henriette lachte nur. »Ach was, Klipperbuschs Pferd war schon immer verrückt auf Rosenknospen. Genauso verrückt wie sein Herr auf meine Torte.«

»Stimmt«, sagte Dolly. »Weißt du was? Wie wär's, wenn du noch ein Stück abschneidest und Emma es ihm zur Feier des Tages vorbeibringt?«

»Wie?«, fragte Emma verdutzt. Mississippi zerrte an den Zügeln, um wieder näher an die Rosen zu kommen. »Wie meinst du das?«

»Na, du legst es ihm aufs Grab«, sagte Dolly. »Statt Blumen.«

»Genau.« Henriette schnitt ein Riesenstück ab und wickelte es ein. »Blumen konnte Klipperbusch sowieso nie leiden.«

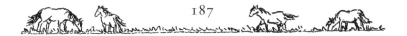

»Du meine Güte!«, stöhnte Alma. »Was habt ihr nur wieder für Ideen!«

Dolly lachte und reichte Emma die zwei Tortenstücke über den Zaun.

»Hier«, sagte sie. Mississippi drehte den Hals und schnupperte interessiert. »Wenn du zurückreitest, kommst du an der Kirche und dem Friedhof vorbei. Klipperbuschs Grab ist das zweite hinter der Hecke rechts. Es steht ein grässlich kitschiger Gipsengel drauf. Lass Mississippi ruhig ein bisschen an den Rosen knabbern, die Frau Strietzel gepflanzt hat.«

»Und sag dabei, von wem die Torte kommt!«, rief Henriette. Emma nickte und grinste ihr zu.

Alma runzelte immer noch missbilligend die Stirn.

»Ach, Emma!« Dolly lehnte sich über den Zaun. »Was meinst du? Ob deine Eltern dir in den Herbstferien einen Flug nach Amerika spendieren? Ich habe keine Lust mir mein Haus allein anzusehen. Aber Henriette bringt jedes Flugzeug zum Absturz und Alma kriegt schon Angst, wenn sie eins sieht.«

Emma zügelte Missi und guckte Dolly ungläubig an. »Amerika?«, fragte sie.

»Also, ich würde auf keinen Fall nach Amerika fahren«, sagte Alma. »Bei all den Grizzlys, die es da gibt.«

»Und die Indianer!«, meinte Henriette spöttisch. »Vergiss

nicht die Indianer, Alma. Wer weiß, was die mit dir anstellen.«

Alma warf ihr einen bösen Blick zu.

Emma guckte Dolly an. Sie schien es ernst zu meinen.

»Ich schätze, nach Amerika fliegen ist teuer«, sagte Emma. »Aber wenn sie es nicht spendieren, dann verdien ich's mir zusammen. Irgendwie schaff ich das schon.«

»Du kannst gleich morgen damit anfangen«, sagte Henriette. »Wir brauchen immer jemanden im Laden.«

»Na, mal langsam«, meinte Dolly und ging zum Tisch zurück. »Eigentlich hat sie ja Ferien. Jetzt lasst sie erst mal Klipperbusch die Torte bringen.«

Und das tat Emma dann auch.

Sie legte das Stück dem Engel genau vor die Füße. Während Mississippi von Frau Strietzels Rosen die Knospen abknabberte.

»Vielen Dank!«, sagte sie. »Für alles. Vor allem für Mississippi. Und es tut mir wirklich sehr Leid, dass Sie nie nach Amerika gekommen sind.«

Die beliebte Serie von Cornelia Funke:
DIE WILDEN HÜHNER

Einband und Vignetten von der Autorin. 176/192/256 Seiten.
ISBN 3-7915-0445-2/-0451-7/-0456-8

Sprotte und ihre besten Freundinnen – alle zusammen auch
Die Wilden Hühner genannt – geraten von einem Abenteuer in das
nächste: Ob sie sich nun mit den Jungs von der Pygmäen-Bande
rumärgern, auf der Klassenfahrt rätselhaften Fußspuren nachgehen,
oder bei Fuchsalarm die Hühner von Sprottes Oma retten müssen ...
Cornelia Funke, eine der erfolgreichsten und beliebtesten
Kinderbuchautorinnen, hat mit ihren Wilden Hühnern packenden
Lesestoff geschaffen. Der nächste Band in dieser Reihe erscheint
demnächst.

Kinderbuchpreis 1995 der Jury der jungen Leser, Wien, für „Die Wilden Hühner"

DRESSLER

Der große Erfolg von Cornelia Funke
DRACHENREITER

Einband und Vignetten von der Autorin. 448 Seiten.
ISBN 3-7915-0454-1

Auf der Flucht vor den Menschen begibt sich der silberne Drache
Lung, zusammen mit dem Waisenjungen Ben und dem Kobold-
mädchen Schwefelfell, auf die Suche nach dem sagenumwobenen
„Saum des Himmels". Eine abenteuerliche Reise beginnt.

Ein von Anfang bis Ende unterhaltsamer und spannender Märchenroman.
Süddeutsche Zeitung

Auf der Kinder- und Jugendbuchliste von Radio Bremen/SR/WDR 1997
Rattenfänger-Literaturpreis der Stadt Hameln, Auswahlliste 1998
Zürcher Kinderbuchpreis „La vache qui lit", Auswahlliste 1998
Kalbacher Klapperschlange 1999

DRESSLER

CORNELIA FUNKE
im Dressler Verlag

DRESSLER